#L -

Éditions Druide
1435, rue Saint-Alexandre, bureau 1040
Montréal (Québec) H3A 2G4

www.druide.com

RELIEFS

Collection dirigée par
Anne-Marie Villeneuve

DU MÊME AUTEUR

Les Pavés de Carcassonne. Tome 1, Québec Amérique, 2012.

Une jeune femme en guerre. Tome 4 : automne 1945 – été 1949,
Québec Amérique, 2010.

Une jeune femme en guerre. Jacques ou les échos d'une voix. Tome 3,
Québec Amérique, 2009.

Une jeune femme en guerre. Tome 2 : printemps 1944 - été 1945,
Québec Amérique, 2008.

Une jeune femme en guerre. Tome 1 : été 1943 - printemps 1944,
Québec Amérique, 2007.

Les Jardins d'Auralie, Québec Amérique, 2005.

Au Nom de Compostelle, Québec Amérique, 2003.
   Prix Saint-Pacôme du roman policier 2003

Mary l'Irlandaise, Québec Amérique, 2001.

Les Bourgeois de Minerve, Québec Amérique, 1999.

Guilhèm ou les Enfances d'un chevalier, Québec Amérique, 1997.

Azalaïs ou la Vie Courtoise, Québec Amérique, 1995.

LES ARBRES BLEUS
DE CHARLEVOIX

Catalogage avant publication de Bibliothèque et Archives nationales
du Québec et Bibliothèque et Archives Canada

Rouy, Maryse, 1951-
Les arbres bleus de Charlevoix : roman

ISBN 978-2-89711-016-1
I. Titre.

PS8585.O892A72 2012   C843'.54   C2012-941996-6
PS9585.O892A72 2012

Direction littéraire : Anne-Marie Villeneuve
Édition : Luc Roberge et Anne-Marie Villeneuve
Révision linguistique : Diane Martin
Assistance à la révision linguistique : Antidote HD
Maquette intérieure : www.annetremblay.com
Mise en pages et versions numériques : Studio C1C4
Révision du montage : Isabelle Chartrand-Delorme
Conception graphique de la couverture : www.annetremblay.com
Photographie en couverture : www.francoisfortin.com
Photographie de l'auteure : Maxyme G. Delisle
Diffusion : Druide informatique
Relations de presse : Judith Landry

ISBN papier : 978-2-89711-016-1
ISBN PDF : 978-2-89711-018-5
ISBN EPUB : 978-2-89711-017-8

Éditions Druide inc.
1435, rue Saint-Alexandre, bureau 1040
Montréal (Québec) H3A 2G4
Téléphone : 514-484-4998

Dépôt légal : 3e trimestre 2012
Bibliothèque nationale du Québec
Bibliothèque nationale du Canada

© 2012 Éditions Druide inc.
www.druide.com

Imprimé au Canada

Maryse Rouy

LES ARBRES BLEUS
DE CHARLEVOIX

Roman

Druide

I

La porte s'entrouvre sur une femme âgée qui la dévisage avec un mélange de stupeur et de désapprobation.

— Qu'est-ce que vous voulez? dit-elle d'un ton revêche. On n'a besoin de rien.

Pendant qu'elle attendait la réponse à son coup de sonnette, un doute avait soudainement effleuré Claire. Elle s'était demandé si le milieu de la matinée était un choix judicieux pour une visite impromptue. Mais ce qui est exprimé par le visage et les paroles de la femme montre qu'elle s'est trompée de question. Ce regard qui la juge lui fait comprendre que son effort de toilette est en train d'obtenir l'inverse de l'effet souhaité. Par souci de mieux paraître, elle a revêtu une robe à jupe ample bariolée qu'elle a agrémentée d'un gros collier africain. Sa chevelure est libre sur les épaules, seulement retenue par des barrettes. Telle qu'elle était avant de se changer, avec le vieux jean et le tee-shirt déformé qu'elle a adoptés pour vivre à la campagne et un élastique dans les cheveux, elle n'aurait eu l'air que négligée. Là, elle est perçue comme excentrique et cela inquiète.

Dans un instant, la femme va claquer la porte au nez de cette importune qu'elle soupçonne de se livrer au démarchage. Ou pire. Sans lui en laisser le temps, Claire débite sa requête: elle vient de s'installer au village et souhaiterait être reçue par le maire.

— Où, au village?

— Dans la maison des Provencher, à quelques kilomètres, au bord du fleuve.

— Ah… Et pourquoi vous voulez le voir, le maire?

— Serait-il possible que je le lui explique en personne? C'est un peu long.

Une voix surgie de l'intérieur s'enquiert de ce qui se passe.

— C'est la locataire de la vieille maison Provencher. Elle demande le maire.

— Eh bien Anna, fais-la entrer.

Elle s'efface de mauvaise grâce devant Claire, à qui elle fait signe d'aller vers la porte ouverte sur sa droite. Un homme est assis à un vaste bureau encombré sur lequel trône un ordinateur dont l'anachronisme jure dans cette pièce où tout est ancien, y compris son occupant. Il correspond à l'image qu'elle s'en est faite d'après ce que lui a dit madame Bolduc, la gérante du dépanneur auprès de qui elle s'est informée. Selon la commerçante, le maire, monsieur Létourneau, est un notaire retraité, célibataire et toujours enchanté de voir du monde. Elle a juste omis de mentionner le cerbère.

Au grand soulagement de Claire, qui compte beaucoup sur sa collaboration, le maire, loin d'afficher de la défiance, a l'air amusé par l'apparence de sa visiteuse qu'il reçoit avec affabilité.

— Vous m'excuserez de ne pas me lever pour vous accueillir, dit-il en désignant un fauteuil roulant et des béquilles, mais j'ai du mal à me déplacer et je ne bouge que lorsque je ne peux vraiment pas l'éviter.

— Je vous en prie, répond-elle en s'approchant pour lui tendre la main. Je m'appelle Claire Gadelier.

— Un nom qui devrait désarmer Anna: les gadeliers sont sa passion horticole. Elle en a planté un peu partout et fait une gelée de gadelles dont elle est très fière. Mais prenez un siège.

Claire s'assoit sur une chaise en tapisserie aux teintes fanées. Le maire la complimente sur son collier.

— C'est un beau bijou que vous avez là. Touareg, si je ne m'abuse ?

— En effet. Il y a peu de gens capables de situer son origine.

Il montre l'ordinateur.

— J'ai beaucoup de temps pour découvrir et apprendre tout ce qui ne me servira pas. Mais dites-moi plutôt pourquoi vous résidez dans notre village.

Claire lui répond qu'elle est venue réaliser un documentaire sur Isidore Beaulieu.

— Voilà une bonne nouvelle ! Savez-vous que la municipalité souhaite ouvrir un musée dans la maison où il a vécu ? Nous sommes quelques-uns ici à penser que l'œuvre de notre unique peintre local mérite de sortir de l'oubli.

— Je l'ignorais.

— C'est que le projet n'est pas avancé. Il nous faudrait des mécènes et des aides gouvernementales, mais il ne vous a pas échappé que Beaulieu est peu connu. D'ailleurs, comment le désir de vous intéresser à lui vous est-il venu ?

— Par hasard.

Elle raconte que, dans une salle un peu fourre-tout du Musée des beaux-arts consacrée à des peintres canadiens, elle est tombée sur une toile intitulée *Adeline Monié devant le fleuve*. Elle représentait une femme triste assise sur la galerie d'une maison surplombant un large cours d'eau qui pouvait être le Saint-Laurent. Une peinture figurative, au réalisme scrupuleux, à l'exception d'un détail, qui donnait à l'ensemble un air d'étrangeté : les arbres étaient bleus.

— J'ai ressenti un coup de foudre pour cette œuvre. Tout est parti de là.

— Je suppose que vous avez ensuite découvert que, les dernières années de son existence, il a peint toujours à peu près la même chose.

— Oui, et c'est fascinant.

— Je partage votre avis. Cependant, dans sa jeunesse, il a traité toutes sortes de sujets. Vous n'avez sans doute pas encore eu l'occasion de voir ses œuvres qui sont à l'église ?

— Non. Je ne savais pas qu'il y en avait. C'est curieux que je ne l'aie trouvé mentionné nulle part.

— C'est parce qu'on a eu à un moment donné un prêtre qui n'aimait pas ces peintures et les a remisées dans une sacristie. Elles ont été réinstallées récemment. Il y a un retable et un chemin de croix.

— C'est très intéressant. J'ai hâte de les découvrir.

— Depuis que nous n'avons plus de curé au village, l'église n'est ouverte que les fins de semaine et les jours fériés. Si vous voulez la visiter un autre jour, il faut demander la clé à Anna : elle en est responsable. Elle s'occupe aussi de l'entretien et met des fleurs quand il y a une cérémonie.

— Je vais attendre une embellie : ce sera plus agréable quand le soleil éclairera les vitraux.

— Vous avez raison. Mais parlez-moi de votre documentaire. Qu'allez-vous présenter ? Sa peinture, je suppose, mais aussi sa vie, ses rapports avec les autres ?

— Il m'est impossible de répondre précisément parce que j'en suis au tout début. C'est la phase de repérage : je dois m'imprégner des lieux, rencontrer des gens, les regarder, les écouter, prendre des notes. C'est la partie la plus longue. Elle peut durer des semaines, parfois même des mois. De temps en temps, des idées surgiront et il viendra un moment où je trouverai la structure à donner au film. À partir de ce moment-là, je pourrai tourner, et là, ça ira beaucoup plus vite.

— Si je comprends bien, c'est une étape pendant laquelle vous ne filmerez pas.

— C'est bien ça, je ne filmerai pas tout de suite. On ne peut pas débouler chez les gens avec une caméra et un micro sans les y avoir préparés. Il faut se présenter, expliquer ce qu'on a l'intention de faire et ce qu'on espère de leur part.

— Bien sûr…

— Cependant, ajouta-t-elle en désignant la volumineuse besace posée à ses pieds, j'ai toujours une caméra légère avec moi, prête à servir s'il survient quelque chose d'intéressant.

— Vous travaillez seule ?

— Oui, c'est un projet individuel. Il fera partie d'une série sur les peintres canadiens, subventionnée par l'ONF. J'ai soumis mon dossier, qui a été accepté ; je suis donc financée pour le réaliser. Cela m'assure également de pouvoir disposer du matériel de l'ONF et, par la suite, quand j'aurai fini de filmer, des installations nécessaires pour faire le montage.

— Qu'attendez-vous de moi ?

— J'aurais besoin d'une caution officielle pour rencontrer des gens qui l'ont connu sans éveiller leur méfiance. J'aimerais également visiter sa maison. Si en plus j'avais accès à des informations personnelles, état civil ou autres, ce serait parfait.

— Vous avez bien fait de venir. Toute seule, vous n'obtiendriez pas grand-chose, je le crains. Mais je suis le maire et le projet de musée me tient à cœur. L'existence d'un documentaire sur Beaulieu serait la preuve qu'il mérite l'attention et cela pourrait être un atout dans notre dossier. Nos intérêts convergent, Claire — puis-je vous appeler Claire ? —, et je vais vous aider.

Il coupe court à ses remerciements :

— Je vous l'ai dit, ce n'est pas de l'altruisme.

Il agite une clochette. Anna surgit et il la prie de leur apporter du café. Elle revient peu après avec un plateau en vieil argent sur lequel elle a disposé de délicates tasses en porcelaine Wedgwood. S'étant sèchement enquise des préférences de la visiteuse en matière de sucre et de lait, elle fait le service. Claire, voulant être aimable, admire les tasses. Comme Anna ne bronche pas, c'est le maire qui explique :

— Elles sont dans la famille depuis plusieurs générations. Nous en prenons grand soin. Ce serait dommage de les casser, mais tellement triste de ne pas s'en servir.

Le pincement des lèvres de la femme fait comprendre à Claire qu'elle aimerait mieux les laisser dans une vitrine où elles ne risqueraient rien. Sans doute a-t-elle peur de les briser et que cela lui soit reproché.

— Imagine donc, Anna, ajoute-t-il à son adresse, que cette jeune personne s'appelle Gadelier.

— Ah…

— On peut imaginer que ses ancêtres en cultivaient. Le nom des gens provient souvent d'un sobriquet qu'on leur a attribué en raison de leur métier, d'une caractéristique physique ou du lieu où ils habitaient.

L'aimable bavardage du maire fait paraître encore plus rébarbative la dénommée Anna, sur qui la mention du gadelier n'a produit aucun effet. Alors qu'elle amorce un mouvement de retraite, le vieil homme ajoute :

— Elle est cinéaste : elle va faire un documentaire sur Isidore Beaulieu.

Dans le regard de la femme, Claire discerne une lueur d'intérêt, mais cela ne va pas jusqu'à lui inspirer un commentaire sympathique ni simplement approbateur.

— Je vous laisse, se contente-t-elle de dire en sortant.

Le maire boit une gorgée de café avant de revenir à leur sujet.

— Je vais établir une liste des gens encore vivants qui ont fréquenté Beaulieu et leur demander de vous recevoir.

— J'imagine que vous-même l'avez connu.

— Naturellement.

— Cela fait de vous un témoin privilégié. Est-ce que vous accepteriez de paraître dans le film ?

— Hé hé… Je n'aurais pas cru que j'allais entreprendre une carrière d'acteur à mon âge.

Elle rit avec lui avant de préciser que la durée totale du documentaire sera de vingt-cinq minutes, ce qui ne laissera pas grand temps à chacun pour faire ses preuves en tant que comédien.

— Tant pis, dit-il avec un sourire malicieux, encore un espoir qui s'effondre.

Lorsqu'elle prend congé, il l'assure qu'il la rappellera aussitôt après avoir effectué les démarches promises.

::

Claire traverse la rue en courant sous la pluie pour rejoindre sa voiture garée en face, devant l'église où elle a très envie d'aller depuis qu'elle connaît l'existence des peintures de Beaulieu. Mais elle attendra dimanche, et pas seulement parce que l'éclaircie prometteuse du matin n'a pas duré : elle préfère la visiter en même temps que d'éventuels touristes plutôt que de demander à la peu aimable Anna la faveur de la lui ouvrir. Elfie l'accueille avec un aboiement aussi joyeux que si sa maîtresse revenait d'une longue absence et elle déploie une telle agitation dans l'habitacle qu'il paraît soudainement devenu minuscule. Claire doit lui prodiguer force caresses et paroles douces pour la convaincre de se recoucher sur le siège arrière. Avant de démarrer, elle vérifie sur son téléphone si elle a des messages, même si elle a dit à tout le monde qu'elle est injoignable, car du lieu où elle habite, elle ne capte pas de signal. Elle découvre sans surprise que sa mère n'en a pas tenu compte et lui demande instamment de donner des nouvelles. Plutôt que de téléphoner ce soir, quand Diane sera à la maison, elle lui laisse à son tour sur le répondeur un message dans lequel elle dit que tout va bien. Ainsi, sa mère sera rassurée et elle-même évitera les questions.

Après avoir fait demi-tour devant le bel édifice de pierre, elle longe la rue principale qui épouse la bordure du fleuve. Quelques demeures patrimoniales aussi bien entretenues que celle de monsieur Létourneau sont au cœur du village. L'une d'elles abrite l'hôtel de ville et sur la façade de quelques autres des enseignes prouvent que le tourisme n'est pas absent de la municipalité : boulangerie affichant des confiseries de luxe dans sa vitrine, boutique de produits d'artisanat, coquet petit restaurant, *bed and breakfast*... Des maisons plus récentes et plus modestes suivent jusqu'au dépanneur, curieusement situé tout au bout de la rue principale, juste avant les quatre kilomètres qui la séparent de son nouveau domicile.

Dès qu'elle ouvre la portière, Elfie se précipite jusqu'au boisé, d'où elle revient à fond de train. Trempée jusqu'au ventre, elle se secoue vigoureusement et asperge sa maîtresse, qui n'a pas été assez rapide pour se mettre hors de portée. Elle tente ensuite de se faufiler dans l'entrebâillement de la porte, mais Claire l'empêche d'entrer le temps de se munir d'une serviette. Ainsi, elle peut éponger son pelage humide avant que la chienne ne se vautre sur le sofa et ne le parfume à la fragrance « chien mouillé ».

La jeune femme est satisfaite : arrivée la veille, elle a déjà rencontré le maire, qui a accepté de l'aider. Elle est sûre qu'il tiendra ses promesses et que, très vite, les choses avanceront. C'était le deuxième point de sa liste, si toutefois on peut qualifier de liste une suite de deux éléments. Le premier était d'aller voir la maison du peintre. La pluie, malheureusement, l'en a empêchée. En réalité, elle aurait pu le faire le jour précédent, après avoir déchargé ses affaires, mais une sorte de superstition l'a retenue, car elle attend beaucoup de son premier contact avec l'endroit où Beaulieu a vécu. Elle voulait que cela se passe dans les meilleures conditions, après une nuit de repos et avec une disponibilité mentale lui permettant d'être parfaitement réceptive à ses premières impressions.

::

Deux jours plus tard, le maire n'a toujours pas appelé. Pourtant, il avait l'air aussi bavard que désœuvré, et Claire aurait imaginé qu'il contacterait les gens tout de suite, ne serait-ce que parce qu'elle lui avait fourni un sujet de conversation. L'enthousiasme qu'elle ressentait après sa visite est retombé. Elle est découragée et n'a plus goût à rien. Le seul aspect positif est qu'après une journée de pluie, le temps revenu au beau lui permet de faire de longues marches. Mais son projet n'avance pas. Privée d'accès à la maison et aux témoins du passé, elle est bloquée. Sans trop savoir pourquoi, à chaque sortie, elle remet au lendemain la seule chose à sa portée : aller voir la maison de l'extérieur. Il y a déjà quatre jours qu'elle est ici. Déjà ou à peine ? Elle a l'impression d'être arrivée il y a un siècle. Le premier soir, même si elle a trouvé le temps un peu long et la maison très vide, elle s'est efforcée de se raisonner : il est normal d'avoir besoin d'une période d'adaptation quand on passe d'une grande ville à une campagne déserte. Seulement, le lendemain, cela s'est aggravé, et quatre jours après, elle n'en peut plus d'ennui et de solitude.

Elle la voulait, pourtant, cette immersion dans les lieux où Isidore Beaulieu a vécu, là où il est né et a peint jusqu'à sa mort dans une totale solitude. Cette maison à louer située tout près de celle du peintre lui était apparue comme une aubaine. Elle y serait seule, à l'abri de sollicitations extérieures, et pourrait se consacrer entièrement au travail. *J'entre dans mon projet comme on entre en religion,* avait-elle annoncé avec un rien d'ironie. Un tout petit rien. Comment peut-on à ce point s'abuser sur soi-même ? se demande-t-elle maintenant. Elle avait plus ou moins rêvé d'une sorte de vie monastique qui lui permettrait de se vouer à l'essentiel, loin des fureurs du monde. Ce n'était pas vraiment à l'érémitisme qu'elle aspirait, mais c'est là-dedans qu'elle s'est naïvement engagée, comme on va vers la Terre promise.

Il aurait été envisageable de rester à Montréal et de faire des allers et retours chaque semaine, en passant au besoin quelques nuits dans le *bed and breakfast* du village. Mais elle a pensé qu'elle serait mieux inspirée si elle s'installait quelque temps sur place. Deux mois lui paraissaient bien. Elle en a fait part à Jean-Louis, qui l'a encouragée: *Bien sûr, vas-y, c'est exactement ce qu'il te faut.* Ses amis aussi: *Génial! Charlevoix, en automne, c'est telle- ment beau... Tu auras un plaisir fou!* Il n'y a eu que le jeune frère de Florence pour émettre un commentaire dissonant: *Ouais... C'est creux... Deux mois...* Mais elle l'a écarté d'un revers de main: chacun sait que les adolescents sont grégaires. Elle n'a pas davan- tage tenu compte de l'essai de mise en garde de sa mère: *Tu es bien sûre de vouloir être seule aussi longtemps?*

Oui, elle en était sûre. *Et puis, je ne serai pas vraiment seule: j'aurai Elfie.* Elle est là, en effet. Elle la regarde avec un amour inconditionnel, l'accompagne dans ses promenades, chauffe ses pieds pendant qu'elle lit. La compagne idéale. Sauf que... Sauf qu'elle est toujours d'accord, ne discute pas, ne proteste pas, accueille ses initiatives pédestres avec un plaisir toujours neuf, sans jamais les contester. Bref, Elfie ne parle pas. C'est une bonne petite chienne normale qui ne parle pas.

Dès le deuxième jour, Claire a eu envie de fuir à toutes jambes. Retourner à Montréal. Dire qu'elle s'est trompée, qu'elle est nulle, dépendante, inapte à mener seule une entreprise. Recharger la voiture vidée dans l'enthousiasme et repartir en ville. Mais, n'ayant pas le sentiment d'avoir vraiment essayé de s'adapter, elle a réussi à se persuader qu'il lui fallait tenir une semaine. Une semaine est un laps de temps raisonnable pour pouvoir affirmer qu'on a fait tout son possible et qu'on n'en est pas capable. À ce moment-là, il restait cinq jours. Trois, maintenant.

Pendant la promenade de l'après-midi, elle a réalisé qu'elle ne peut plus tergiverser: si elle ne se secoue pas, elle aura complètement perdu son temps. Il faut qu'elle aille voir la maison de Beaulieu. Sous l'effet de la marche qui favorise l'introspection, elle s'est interrogée sur ces quatre jours écoulés durant lesquels elle a repoussé cette démarche. Pourquoi s'en est-elle empêchée, en proie à une sorte de phobie de ce lieu, alors que son but était de s'en imprégner ?

La vérité a fini par se faire jour : elle a peur. Peur de ne pas être capable de mener à bien ce projet, le premier qui sera le sien de bout en bout. Elle a déjà été réalisatrice adjointe, mais ce n'était pas elle qui prenait les décisions. Cette fois, c'est son idée et elle va devoir choisir seule de quelle manière la traiter. Son ancien patron, Marcel Lajoie, qui a rédigé la lettre de recommandation élogieuse ayant emporté la décision du jury de lui accorder la subvention, s'est montré confiant dans sa capacité d'y parvenir. De plus, il lui a dit qu'elle pourrait faire appel à lui si elle avait des questions ou des doutes. Malgré tout, elle se sent seule face à une entreprise qui l'effraie.

Pourtant, quand elle a monté son dossier, aidée par Jean-Louis, il ne lui a pas été plus difficile d'écrire *JE dépouillerai… JE tournerai… J'irai…* que de s'imaginer en train de le faire. Rendue au pied du mur, elle panique à la pensée d'être devenue celle qui fait les choix alors qu'elle a toujours été guidée. Il y a cela et la solitude qui l'a investie en lui ôtant toute volonté.

Au terme de sa réflexion, jugeant qu'il était ridicule de se laisser déstabiliser ainsi, elle a résolu de se mettre au travail. Le sentiment d'avoir pris une décision raisonnable a écarté le poids qui l'oppressait, et elle a éprouvé le besoin de brûler de l'énergie, d'extérioriser ce soulagement qui est presque un bonheur.

— Elfie, on fait la course !

Au retour de la promenade, elle ouvre son journal de tournage, un cahier d'écolier qu'elle a choisi d'écrire à la main. Pour le moment, il n'y figure que la liste commencée à l'arrivée. Elle est fort sommaire, puisqu'elle dit seulement :

1. Aller voir la maison.
2. Rencontrer le maire pour savoir à qui elle appartient et s'il est possible de la visiter.

3. ?

Malgré cela, plusieurs jours plus tard, elle n'a barré qu'une ligne. Demain, elle barrera le numéro 1, promis, juré. Elle écrit sa résolution en grosses lettres, ajoute *Visiter l'église* et laisse le cahier ouvert bien en vue sur sa table de travail.

:::

Au matin, il pleut de nouveau, ce qui empêche Claire de tenir la promesse qu'elle s'était faite. Sans Elfie incapable d'attendre davantage, elle aurait traîné au lit. Elle a envie d'être paresseuse et se lève avec l'idée de se recoucher, mais une fois debout, elle prépare un café et la journée commence. La chienne, qui d'habitude reste dehors à batifoler sur le terrain, ne s'éloigne guère et gratte bientôt à la porte.

Faute de pouvoir sortir, Claire s'assoit à la table de la salle à manger, qui est devenue sa table de travail. Bien que la maison soit pourvue d'une pièce meublée d'un bureau et d'une bibliothèque, elle a préféré la grande salle parce que ses fenêtres ouvrent sur le Saint-Laurent. Ainsi, lorsqu'elle lève les yeux, elle voit le fleuve, ce fleuve dont Isidore Beaulieu a peint toutes les nuances sa vie durant. Le regard porte loin au-delà des flots. Par temps couvert, ce ne sont que teintes douces et fondues. On ne distingue pas tout à fait les limites entre l'eau, le ciel et les montagnes, camaïeu de gris-bleu avec ici une touche de violet, là une nuance de brun. Quand il fait beau, les contours sont nets, les couleurs, franches. Le fleuve est sans mystère, presque banal. Toutes ces variations, il faudra qu'elle les montre dans son documentaire. Pour cela, elle devra choisir des conditions météorologiques différentes quand elle viendra de Montréal, au lieu de systématiquement prendre la route quand le temps sera beau afin que la conduite soit plus facile.

La pièce qui aurait dû être le bureau donne sur le boisé qui cache la maison du peintre toute proche. Elle y a entreposé le matériel qu'elle avait réussi à grand-peine à caser dans la voiture : caméra, pied de caméra, pied de micro, micro directionnel, micros-cravates, système d'éclairage, extensions… La table ronde de la cuisine est toute petite mais suffisante pour ses repas solitaires. Par contre, ce qui est devenu sa table de travail doit pouvoir accueillir dix personnes. Elle imagine sans difficulté cette table pleine du temps où la maison était vivante, les chamailleries d'enfants, les rires d'adultes, les plats débordants de ces nourritures riches que l'on servait aux repas de fêtes. Mais parler de maison *vivante* pour l'opposer à ce qu'elle est maintenant ne convient pas vraiment parce qu'elle ne l'a pas trouvée morte. Elle était plutôt en sommeil, en attente. Prête à recevoir qui voudrait l'éveiller. Dans la journée, elle semble amicale avec ses meubles qui portent les cicatrices d'un long usage, ses poteries dépareillées prenant la poussière au-dessus des armoires de cuisine, ses rideaux démodés en vichy rouge et blanc un peu fané. Mais le soir, la nuit, lorsque la vieille bâtisse craque de tous ses bois, la locataire, qui ne se sent plus une invitée, s'enfonce sous les draps qu'elle rabat sur sa tête pour ne plus l'entendre geindre. Dès que le soleil disparaît, elle se barricade et vérifie plusieurs fois que tout est réellement bien fermé, même s'il est évident que les verrous n'arrêteraient pas un malveillant : il n'y a pas un chat à des kilomètres à la ronde et il aurait tout loisir de défoncer la porte ou une fenêtre. Quand son imagination s'engage sur cette voie qui pourrait engendrer une panique irraisonnée, elle se dépêche d'évoquer l'image de Jean-Louis la serrant dans ses bras.

Pour ajouter à la morosité ambiante, la maison n'a pas de connexion Internet. Elle le savait quand elle l'a louée, mais elle pensait la faire installer à ses frais. Elle a découvert le jour de son arrivée que c'était impossible en raison de l'éloignement. Elle a aussitôt téléphoné à Jean-Louis pour lui dire qu'elle renonçait à la location et rentrait à Montréal. Elle n'arriverait jamais à se passer du courrier électronique, des actualités, de Wikipédia, de YouTube, de MétéoMédia... En examinant chaque point avec elle, il l'a convaincue que rien de tout cela n'est indispensable. Pour le contact avec ses proches, elle dispose du téléphone, pour les nouvelles, de la télé et de la radio, pour la musique, du iPod et pour l'encyclopédie, elle n'a qu'à noter les questions et vérifier plus tard. Quant à la météo, avait-il plaisanté, il te suffira de regarder par la fenêtre. Facile à dire pour celui qui est à Montréal.

Peu de ressources, donc, à part la promenade au bord du fleuve, pour ne pas sombrer, au creux de l'après-midi, au moment où le temps s'arrête, quand le soir semble ne jamais devoir arriver. Ce vide, ce vertige face à la solitude, elle ne les avait pas pressentis. Quelques jours, pourtant, ce n'est pas le bout du monde. Quoique sans le câble... À Montréal, Claire regarde peu la télé, mais ici, elle en aurait volontiers fait son ordinaire. Hier soir, après avoir navigué de *Trente vies* (tous les personnages sont *choqués* en permanence, ça l'énerve) au *code Chastenay* (déprimant : dépister l'Alzheimer à partir d'une simple goutte de sang) avec un bref passage par *Occupation double* (mais elle n'était quand même pas rendue là), elle a fini par se rabattre sur un des livres qu'elle a apportés pour d'éventuelles insomnies. Après avoir consacré la journée à lire un essai sur James Morrice, dont la peinture a influencé celle de Beaulieu, elle aurait aimé varier un peu les plaisirs. Elle se rend compte à quel point, d'ordinaire, le web fait partie de sa vie. Elle a toujours un détail à vérifier, à propos d'une chose sur laquelle son avis et celui de Jean-Louis diffèrent, par exemple, ou bien du temps de cuisson d'un plat qui mijote, puis elle glisse à autre chose, et le temps s'écoule sans qu'elle s'en aperçoive. Ici, il dure. Jean-Louis lui a signalé que si elle ne peut vraiment pas se passer d'Internet, elle a toujours la possibilité d'acheter un téléphone intelligent.

Il lui permettrait de se connecter dès qu'il y a du réseau en allant tout simplement au village. Mais il s'agit d'un appareil coûteux et elle vient d'acquérir un ordinateur portable déjà bien cher.

À la place, elle essaie de s'inventer des distractions. Aujourd'hui, elle flâne dans la maison en jouant à l'imaginer meublée autrement, bien arrangée, les peintures rafraîchies. C'est une belle construction en pierre du XVIIIe siècle avec des poutres apparentes. Entre des mains compétentes, ce serait un bijou. Peut-être, à l'époque de sa construction, y a-t-il eu une maîtresse de maison en robe à paniers ? Elle s'amuse, devant le miroir de la salle de bains, à édifier au sommet de son crâne une coiffure de marquise, mais ses longs cheveux sont trop lourds et le chignon s'écroule.

Elle regarde l'heure : un quart d'heure seulement a passé. Elle retourne s'écraser sur le sofa avec son livre. Si elle avait su qu'elle ne serait pas connectée, elle aurait téléchargé des films avant de quitter Montréal, elle s'ennuierait moins. Toutefois, le roman est bon — hélas presque terminé, heureusement qu'elle ne reste pas, car elle serait vite en panne — et elle doit admettre qu'elle est plutôt bien avec Elfie couchée en rond à ses pieds, béate et si semblable à un gros chat qu'il ne serait pas étonnant de l'entendre ronronner. *N'importe quoi,* dirait Jean-Louis. D'ordinaire, lorsqu'elle emploie le verbe ronronner, c'est de lui qu'il s'agit, quand elle lui masse le cou et les épaules, qu'il ferme les yeux et se laisse aller. Il ronronne : *N'importe quoi,* et ajoute : *Encore.*

:::

Le frigo est vide et Claire part au village faire des courses. L'unique route la reliant au monde est une voie de campagne peu fréquentée, sauf de loin en loin par quelques excités qui la confondent avec une piste de course, ce qui la disqualifie pour la sortie quotidienne. Il serait ridicule d'imposer une laisse à la chienne alors qu'elle est si heureuse en liberté sur la grève. Pas une habitation aux alentours à l'exception d'une maison vide depuis des années : celle de son peintre, Isidore Beaulieu. Avant d'aller chez le dépanneur, elle poussera jusqu'à l'église, même si elle ne se sent pas prête à affronter Anna pour lui demander la clé. Elle pourra au moins faire le tour du monument et admirer le Saint-Laurent depuis l'esplanade qui le domine.

Quand elle arrive sur le site, Claire a l'agréable surprise de trouver la porte ouverte. De l'extérieur, l'église est belle : toute en rondeurs, ses volumes sont doux à l'œil et le gris tendre de la pierre se marie harmonieusement avec le bleu du fleuve qui chatoie en contrebas et celui, bien franc aujourd'hui, du ciel sans nuages. Mais l'intérieur est ordinaire ou, plutôt, le serait sans la peinture qui surplombe l'autel. Comme dans beaucoup d'églises, les blancs et les bleus nacrés abondent, ce qui évoque irrésistiblement dans l'esprit de Claire ces gâteaux de communion aux glaçages superposés qui lui donnent un vague mal au cœur quand elle en voit sur un présentoir. Les vitraux aux dessins maladroitement naïfs qui relèvent cette joliesse un peu fade n'ont d'autre intérêt que leurs couleurs nettes et vives rendues pimpantes par le soleil. Mais au cœur de cette onctuosité de bon aloi, il y a le crucifié du retable, qui s'impose au visiteur et le frappe comme un coup de poing. L'intensité de la douleur exprimée par le visage de ce Christ en croix qui surplombe l'autel, et que l'on voit de partout dans une église trop petite pour avoir des chapelles latérales, est presque insoutenable, et Claire comprend qu'un prêtre ait pu l'escamoter sans que ses paroissiens s'en plaignent. Elle le regarde longuement, fascinée, ayant du mal à concevoir que ce soit sous le pinceau du même peintre qu'ait pu apparaître la jeune femme assise sur sa galerie, si douce et si mélancolique. Les quatorze stations du chemin de croix sont d'une veine identique : dures, violentes, terribles. Claire s'attarde à examiner chaque peinture jusqu'à ce que des visiteurs la délogent. Elle fuit les commentaires qu'ils ne manqueront pas de formuler, car elle veut garder intactes ses sensations pour les noter dans son cahier de tournage, où elle écrira avec jubilation qu'Isidore Beaulieu est sans doute encore plus intéressant qu'elle ne le croyait.

::

Avant de pénétrer dans le magasin, elle se souvient qu'elle doit vérifier ses messages : encore sa mère, qui lui demande cette fois si elle n'a pas à la maison un téléphone fixe dont elle pourrait lui donner le numéro. Ainsi, elle aurait enfin une chance de la joindre puisqu'elle-même ne téléphone pas. Même si elle sait qu'elle a tort et que ce n'est pas gentil de sa part, Claire n'arrive pas à se résoudre à la rappeler.

Le Dépanneur Bolduc est un peu plus que ce qu'il annonce. Il offre toute une gamme de produits surgelés ainsi qu'un rayon de viande, de poisson et de fromage, peu varié mais suffisant. Il est tenu par un couple dans la soixantaine. La femme reste à la caisse pendant que l'homme transporte cartons et casiers de bière. Madame Bolduc, reconnaissant en sa cliente celle à qui elle a donné des informations au sujet du maire, lui demande si elle l'a rencontré. Claire répond que oui, mais qu'il devait la rappeler et ne l'a pas fait.

— Il le fera, ne vous inquiétez pas. Il est occupé : son filleul de Montréal est là pour quelques jours avec les enfants. Enfin, c'est surtout sa sœur qui a du travail. À son âge, elle devrait se faire aider, mais elle refuse de laisser une étrangère toucher à ses affaires. Il faudra pourtant bien qu'elle en arrive là, comme tout le monde. Quand on ne peut plus…

— Anna est donc sa sœur. J'avoue que je l'avais prise pour une employée.

— Ça ne m'étonne pas. Elle se plaint toujours qu'elle doit faire la bonne, mais si vous voulez mon avis, ça lui convient, car elle peut tout contrôler.

La nouvelle réconforte Claire. Contrairement à ce qu'elle avait redouté, le maire n'a pas négligé de la contacter : il n'en a pas eu le temps.

Madame Bolduc est curieuse de découvrir si elle réside au village et Claire, qui l'informe obligeamment du lieu où elle vit et de la raison pour laquelle elle séjourne dans la localité, en profite pour lui demander si elle a connu le peintre. Mais ce n'est pas le cas : les Bolduc viennent de Gaspésie et ont repris le commerce une dizaine d'années plus tôt, alors que Beaulieu était déjà mort. La commerçante apprend à Claire qu'au printemps la maison qu'elle loue a été occupée par un passionné d'oiseaux qui les observait des heures entières avec ses jumelles. Elle le trouvait *ben fin*. Claire ne lui dit pas qu'elle est sur le point de repartir.

À Jean-Louis non plus, elle ne l'a pas encore annoncé, sans doute par peur de ses sarcasmes. Il prétend qu'elle abandonne toujours à la première difficulté. Ce qui est faux. Elle a poursuivi ses études jusqu'au bout, même si elle a dû les interrompre plusieurs mois à cause de sa maladie. Ce sont ses *trips* à lui qu'elle a abandonnés au fil des années. Elle s'ennuie tellement pendant les interminables réunions qu'il affectionne qu'elle finit par ne plus avoir le courage de l'y accompagner. Quel soulagement, lorsqu'elle se décide enfin à laisser tomber, de se pelotonner dans le fauteuil crapaud, devant un vieux film en noir et blanc, loin des parlottes. Il lui reproche d'être indifférente à la misère du monde. Ce n'est pas vrai. Elle refuse d'y consacrer toutes ses soirées, nuance. *Quand on travaille dans une ONG, on ne fait pas du neuf à cinq, il est normal de s'engager.* Bien sûr, mais dans son cas à lui, c'est devenu un apostolat. À bien y penser, elle ne le voit pas tellement plus à Montréal. Mais là-bas, elle se réveille contre lui. Depuis qu'elle est ici, dès la tombée de la nuit, elle attend l'heure de leur appel quotidien, même si ces conversations rendent ensuite sa solitude plus lourde. Leurs échanges sont brefs. Jean-Louis déteste le téléphone. Il dit que c'est une perte de temps et coupe court dès qu'il le peut. Il lui demande comment ça va, mais répond à sa place : *Sûr que tu vas bien. Quand on réalise son rêve, il ne peut pas en être autrement. — C'est quoi, déjà, ta réunion ? Soupir. Comme d'habitude : le dispensaire.* Et il la laisse très vite pour ne pas être en retard.

Ces brefs échanges font ressurgir les remords de Claire. Le dispensaire, c'était son rêve à lui, qu'il ne réalisera pas à cause d'elle. Ce projet, dans lequel Florence et Marc sont impliqués, et qui le passionne autant qu'eux, est parrainé par l'organisme qui les emploie tous les trois. Le couple se prépare à partir pour deux ans au Mali. Claire ne sait que trop qu'il aurait aimé en être. Lorsque leurs amis ont entamé la procédure, au printemps, il aurait postulé si elle avait accepté de l'accompagner, mais elle a dit non. Il a beaucoup insisté et a fini par renoncer quand elle lui a lancé, pour couper court, qu'il n'avait qu'à y aller sans elle. Se quitter pour deux ans n'était envisageable ni pour l'un ni pour l'autre. Comment pourrait-elle maintenant lui avouer que le projet à l'origine de son refus a du plomb dans l'aile ?

Lorsqu'il a proposé le Mali, elle avait déjà fait sa demande de subvention pour le documentaire sur Isidore Beaulieu, sa première tentative personnelle. Elle n'avait pas encore la réponse, qui ne viendrait pas avant trois mois. Jean-Louis avait l'air de l'avoir oubliée, alors qu'il l'avait aidée à la rédiger. Quand elle le lui avait rappelé, il avait objecté qu'elle n'était pas sûre de l'obtenir. *Mais si on me l'accorde ? — Ce n'est qu'une subvention, tu en demanderas une autre au retour. — Pas pour ce projet-là. Si je la refuse, ce sera fini. — Tu pourrais faire autre chose. En Afrique les sujets ne manqueront pas. Réaliser un documentaire sur la construction du dispensaire, par exemple. — Marc s'en chargera, il en est capable. — Mais vous pourriez le faire ensemble. — Non.* Elle lui avait expliqué pourquoi tourner avec Marc était impossible. Il n'a étudié qu'un an en cinéma, trop peu de temps pour avoir eu l'occasion d'effectuer des stages. Dans les faits, il est autodidacte, et s'il peut obtenir des résultats plus qu'honnêtes de la part d'un amateur, il ne saurait pas travailler en équipe, car il a forgé ses méthodes de manière empirique. Jean-Louis n'avait pas abandonné tout de suite mais avait émis l'idée qu'elle pourrait filmer autre chose, montrer la vie des gens. Plutôt que lui dire à quel point sa désinvolture à l'égard de ses propres intérêts la blessait, elle avait répondu que cela se recouperait trop.

Elle avait compris à ce moment-là qu'il classait leurs projets selon une hiérarchie qui plaçait son documentaire bien en dessous du dispensaire. Il l'avait d'ailleurs exprimé sans détour dans une phrase qui l'avait atteinte au vif: *Comment peux-tu mettre en balance un film sur un peintre avec un dispensaire qui soignera des quantités de gens?* Il était bien sûr impossible de les considérer sur un même plan. Honteuse d'avoir donné l'impression de le faire, elle allait céder, mais sans lui en laisser le temps, il était parti en disant: *D'accord, je ne t'en parle plus. Je sors prendre l'air.* À son retour, elle dormait, et il n'en avait effectivement pas reparlé.

::

Il pleut toujours. Les gouttes d'eau qui tambourinent sur le toit l'ont réveillée. Elle a cherché le corps de Jean-Louis à sa gauche avant de se souvenir qu'il ne peut pas y être. Dix ans qu'ils vivent ensemble. Ils se sont rencontrés à l'université. Comme Florence, il était en première année de sciences politiques, elle et Marc, d'études cinématographiques. C'était le *party* de rentrée. En dix ans, ils ne se sont jamais quittés et leurs désaccords ont été rares. Quand Claire a refusé d'aller en Afrique, c'était la première fois qu'elle lui disait carrément non. Maintenant, à chaque allusion au dispensaire, elle se sent vaguement coupable.

::

La vue depuis sa table de travail a disparu. Tout se confond dans la grisaille et on ne soupçonne même pas l'existence du fleuve. En fin d'après-midi, même si elle n'a rien de mieux à faire, elle arrête de lire l'essai sur James Morrice, car au bout de quelques heures, elle devient inefficace. La chienne sort cinq minutes, comme le matin, puis se recouche. Désœuvrée, Claire pousse la porte du bureau auquel elle n'a accordé qu'une brève visite le jour de son arrivée. Il y a des rayonnages sur lesquels gisent quelques livres hétéroclites abandonnés par les précédents occupants n'ayant pas voulu s'en encombrer à leur départ. Elle les passe en revue dans l'espoir qu'une trouvaille l'aidera à franchir cette fin de journée qui promet d'être interminable. Il y a eu ici un amateur de polars. Elle les feuillette, mais aucun ne la tente. C'est alors qu'elle découvre, incongru, un peu à l'écart, un livre sur les oiseaux. Sur la page de gauche, une photo, sur celle de droite, un haïku.

La coccinelle bombe le dos
Petit clown
Les goélands ricanent.

Marie-Hélène, qui enseigne la création, lui a raconté que lors d'un atelier d'écriture, elle avait essayé d'en faire rédiger à un groupe d'étudiants. Elle avait eu beau leur expliquer, exemples à l'appui, que ces poèmes portent sur les petits événements de la vie quotidienne sur lesquels le poète pose un regard amusé et étonné, il lui avait été impossible de les sortir des grands thèmes de l'existence : l'amour, la mort, l'amitié. Pour eux, l'éphémère, le ténu et le fortuit paraissaient impudiques et indignes de poésie. Claire commence de lire debout, presque distraitement, et découvre que l'auteur, lui, est bien dans l'esprit du haïku : attentif, disponible, humble devant la nature. Séduite, elle emporte le livre au salon et s'installe dans le fauteuil, un peu défoncé mais accueillant avec la lampe sur pied qui le flanque. Elle lit tous les haïkus, en prenant le temps de les savourer et de regarder les photos, puis dépose le livre sur sa table de travail pour noter la référence. Cela fera un beau cadeau pour son père.

: :

Ce soir Jean-Louis est encore plus pressé que d'habitude. Elle n'a même pas le temps de lui annoncer son retour qu'il lui dit :

— Écoute, je n'ai pas le temps de te parler, je vais passer la longue fin de semaine chez mes parents. Il faut que je parte tout de suite, sinon il sera trop tard. Appelle-moi mardi soir. Je t'embrasse.

Et voilà, il a raccroché. Elle avait oublié que lundi est férié. On oublie vite. C'est comme si elle avait perdu la notion du temps alors qu'elle est ici depuis quelques jours à peine. Ce congé explique la venue du filleul de monsieur Létourneau. Mais qu'est-ce qui lui prend, à Jean-Louis, d'aller chez ses parents ? Ils leur ont rendu visite il y a à peine trois semaines. Lui qui n'aime pas conduire va devoir faire seul le trajet jusqu'à Val-d'Or. À son retour, il sera bien surpris de la trouver à l'appartement et regrettera de ne pas l'avoir laissée parler. Elle aurait pu partir plus tôt et ils s'y seraient rendus ensemble. Le bon côté de sa précipitation est qu'elle lui donne un sursis. Face à face, il sera sans doute plus facile de lui dire qu'elle ne se sent pas capable de passer deux mois seule dans cette maison, alors qu'elle l'a bassiné pendant des semaines avec son enthousiasme pour les vertus de l'isolement.

::

Peut-être monsieur Létourneau appellera-t-il d'ici son départ? La matinée passe à terminer l'essai sur James Morrice et à organiser ses notes. Elle n'est pas sûre de leur utilité, mais préfère avoir trop d'informations plutôt qu'être obligée d'interrompre le tournage pour partir à la recherche d'un élément manquant. En réalité, elle ne peut guère faire autre chose à part aller voir la maison d'Isidore Beaulieu si le temps finit par le lui permettre, ce dont elle commence à douter.

Pourtant, à la mi-journée, dans le ciel resté uniformément gris depuis plusieurs jours, un rayon de soleil apparaît comme un petit miracle inespéré. Claire est aussi contente qu'Elfie. Pour un peu elle gambaderait avec elle.

La maison n'est distante de la sienne que d'une centaine de mètres, mais un boisé les sépare et elle ne la voit pas. Les deux habitations ont été construites dos à la route, face au fleuve, sur un grand terrain qui se termine par une falaise abrupte mais pas très haute. Il est possible d'accéder à la grève grâce aux marches taillées dans la paroi.

Elle a décidé d'aborder la maison par le fleuve plutôt que par la route, de manière à la découvrir sous l'angle où elle a été peinte. La chienne a déjà ses habitudes. Claire aussi. Elles descendent, l'animal en courant, la jeune femme en posant précautionneuse-ment ses pieds sur les marches inégales. Sans hésiter, Elfie file vers la gauche: c'est la direction qu'elles ont prise la première fois, un peu par hasard, peut-être pour suivre le sens du fleuve, et depuis elle s'y engage d'autorité. Si elles restaient, nul doute que chaque jour, deux mois durant, la chienne irait ainsi vers la gauche, aboierait en découvrant avec un étonnement toujours renouvelé ce bizarre rocher en forme de molosse, s'arrêterait aux mêmes endroits pour flairer les cailloux qu'elle honore de quelques gouttes. Elle a fait ses marques et entend qu'elles soient respectées.

Mais aujourd'hui, Claire prend à droite, au grand scandale d'Elfie qui essaie de la faire changer d'avis à grand renfort d'allées et venues et d'aboiements. Puis, devant son insuccès, la chienne se résigne à suivre sa maîtresse, qu'elle ne tarde pas à précéder : toute à ses nouvelles découvertes, elle a déjà oublié qu'elle voulait aller ailleurs. Claire aspire l'air à pleins poumons. Il lui paraît salé. Illusion sans doute : on est trop loin de la mer. Avec tous ces galets, le sol est dur aux pieds, mais il y a le fleuve en récompense. Presque vert, aujourd'hui. Un amélanchier qui a poussé sur le talus cache en partie la grève. Est-ce pour cela qu'elle a choisi l'autre direction le premier jour ou pour aller dans le même sens que l'eau comme elle avait voulu l'imaginer ? En réalité, si elle a tourné le dos à la maison du peintre, elle le sait bien, c'est à cause de sa peur d'entrer dans le projet. Mais c'est du passé : là, elle s'y engage résolument sans s'attarder à de fumeux états d'âme. D'ailleurs, elle a sa caméra en main. Depuis qu'elle est arrivée, c'est la première fois qu'elle la sort de la besace qui pend toujours à son épaule. Elle renonce à vivre dans l'isolement, mais garde le projet. Elle habitera Montréal et fera la route aussi souvent que nécessaire.

Semblables à celles qu'elle vient de descendre, les marches menant à la maison du peintre sont juste après l'amélanchier. Depuis le bas de l'escalier, la maison est invisible. Claire voudrait qu'elle lui apparaisse telle que sur les toiles, car c'est ainsi qu'elle souhaite la filmer, et d'abord, en avoir sa première vision. Pour cela, il va falloir longer le fleuve et faire demi-tour. Peut-être pourra-t-elle découvrir la place exacte où Beaulieu s'installait pour la peindre ? Qui sait si, dans la configuration de la berge, elle ne trouvera pas un indice lui permettant de deviner que c'est le bon endroit ? Dans l'espoir que sa première image soit celle que le peintre voyait de son chevalet, elle s'interdit de se retourner tant qu'elle n'aura pas l'impression d'y être. À l'aveuglette, il est difficile d'apprécier si la distance est correcte, mais elle s'impose de prendre son temps, car cela en vaut la peine.

Elfie, comme à son habitude, lui apporte un morceau de bois flotté et attend que le jeu commence. Absorbée par sa recherche, Claire le lui lance sans vraiment regarder et l'envoie involontairement dans le fleuve. La chienne n'hésite pas à sauter dans l'eau à la poursuite de son jouet qui file. Claire, affolée, crie pour la rappeler, mais la chienne, tendue vers son objectif, n'obéit pas. Lorsqu'elle parvient finalement à saisir le morceau de bois, elle tente de regagner la berge, mais le fleuve l'emporte. Elle lutte contre la force du courant et, pendant quelques interminables minutes, l'issue reste incertaine. Quand enfin elle se rapproche de la rive qu'elle finit par agripper, Claire en pleurerait de soulagement. Son trophée dans la gueule, Elfie revient vers sa maîtresse et le dépose triomphalement à ses pieds avant de se secouer avec la dernière vigueur. Claire a juste le temps de lever sa caméra à bout de bras pour la placer à l'abri de l'arrosage. Les jambes molles, elle s'assoit sur un rocher pour se remettre de son émotion. Elfie aurait pu se noyer. Claire ne peut imaginer que la chienne disparaisse de leur vie — de sa vie. Jean-Louis n'en voulait pas ; deux ans après son adoption, il n'a pas désarmé et l'ignore ostensiblement malgré l'affection que la chienne s'obstine à lui témoigner. C'est Claire qui s'occupe d'Elfie, qui la nourrit, la promène, l'aime. Et elle a failli la perdre.

La chienne, toute peur oubliée — si toutefois elle en a ressenti une —, fait des va-et-vient et l'encourage de la voix jusqu'à ce que sa maîtresse reprenne la marche. Elles parviennent assez vite à un éboulement. Il ne barre pas le chemin, mais constitue un renfoncement à l'abri du vent. Claire a l'intuition que c'est l'endroit où le peintre se plaçait. Elle allume la caméra et se retourne, mais sans lever les yeux sur la maison, car c'est par l'entremise de son viseur qu'elle veut la découvrir. Elle a deviné juste : la maison s'encadre dans l'objectif exactement comme sur les toiles. Il n'y manque que la jeune femme triste. Elle ressent une bouffée de bonheur : son film est commencé.

::

Claire a envie de fêter l'événement. Après avoir dessiné un plan des lieux et consigné les circonstances de sa découverte dans son journal de repérage, elle débouche son meilleur vin blanc, un Gewurztraminer réservé pour une improbable visite. Parmi les verres dépareillés, elle en déniche un joli dans lequel elle se verse une rasade. Si le maire ne l'a pas appelée d'ici son départ, elle repassera chez lui pour lui laisser ses coordonnées montréalaises. Elle prétendra être obligée d'y retourner. La confection de ses bagages repoussée au lendemain — puisque de toute façon personne ne l'attendra à l'appartement, il est inutile de se précipiter —, elle s'installe à la table de la terrasse. Pour donner à ce dernier repas un air de fête, elle a préparé une assiette colorée : des légumes verts et rouges, du saumon fumé, du fromage. Si elle était restée, elle aurait dû se mettre à cuisiner, car on ne vit pas deux mois avec des grignotages.

Au bout du compte, elle n'était pas mal ici. Les premiers jours ont été terrifiants d'ennui, mais elle commençait de s'accoutumer à la solitude. Et ses peurs nocturnes se sont estompées : elle ne sursaute plus en entendant craquer la charpente ; c'est devenu un bruit familier. Le fleuve va lui manquer. Quant à Elfie... Elle court après les goélands en aboyant avec autant de conviction que si elle avait une chance de les rattraper, et quand ils s'envolent sous son nez, elle reste désarçonnée par ce coup du sort. Lorsque le temps le permet, comme aujourd'hui, la chienne passe la journée entière dehors. Elle va trouver l'appartement trop petit et les promenades au parc trop courtes. C'est sûr qu'elle perdra au change.

En allant chercher son assiette, Claire découvre que sa démarche est incertaine. Pas étonnant : elle a bu la moitié de la bouteille. Dans un estomac vide, cela ne pardonne pas. Elle s'est resservie sans presque s'en rendre compte, pour se sentir bien, seule sur cette galerie, face au fleuve si calme aujourd'hui. La lumière oblique lui donne des reflets moirés. On le caresserait comme un velours.

À l'heure où d'habitude elle parle à Jean-Louis, elle a ressenti le besoin d'entendre une voix. Elle n'a pas téléphoné à Val-d'Or pour ne pas paraître incapable de se passer de lui. Vis-à-vis de qui ? De Jean-Louis, de ses parents ou d'elle-même ? Elle ne le sait pas vraiment. Alors, elle a appelé Florence, sa meilleure amie qui est sur le point de partir au Mali. Les vaccinations sont faites ; demeurent les derniers achats : des vêtements d'été même si les vitrines en sont à exposer ceux de l'automne, des livres, parce que là-bas l'approvisionnement sera difficile, des médicaments de base. Il ne lui reste que quelques jours pour terminer ses préparatifs et il faut penser à tellement de choses ! Claire l'a trouvée nerveuse, volubile. En vérité, il y a des semaines que Florence est ainsi, n'ayant plus de temps à lui consacrer, y compris au téléphone. C'est presque comme si elle était déjà sur un autre continent.

— Et toi ? a-t-elle enfin demandé, c'est aussi bien que tu l'espérais ?

Claire ne lui a pas dit à elle non plus qu'elle rentrait à Montréal. Il aurait fallu donner des explications et elle ne la sentait pas prête à écouter.

Alors :

— Oui, la maison est parfaite, le travail avance.

Elles ont raccroché. Claire suppose que Florence lui téléphonera la veille de son départ pour lui dire au revoir, mais elle ne la dérangera plus. Dans sa tête, son amie est déjà ailleurs, où elle n'a pas de place. Cet appel raté a terni sa grande joie de l'après-midi. Florence, sa complice de toujours, celle avec qui il suffisait d'échanger un regard ou de prononcer un mot pour être instantanément sur la même longueur d'onde, est sortie de sa zone d'accès. Et Jean-Louis, son amour, l'homme avec qui elle partage tout depuis dix ans, qu'elle n'a jamais quitté, lui semble, depuis qu'elle est ici, distant et inatteignable. Vaguement déprimée, elle finit la bouteille, et ce n'est plus seulement le plancher qui tangue, mais le lit qui tournoie.

Quand Elfie l'oblige à se lever pour le pipi matinal, Claire a l'impression que son crâne va exploser. Elle ouvre la porte et cherche un objet qui la bloquerait afin que la chienne puisse rentrer seule. Elle se penche pour glisser la cale et un étourdissement l'oblige à s'accrocher à la poignée. Un tam-tam bat dans sa tête, sa bouche est en carton, une sueur malsaine lui dégouline entre les seins. Elle fait couler le robinet de l'évier pour obtenir de l'eau fraîche. Appuyée des deux mains au comptoir, face à la fenêtre, elle regarde un étourneau sansonnet boire dans un creux de l'érable, là où une branche a été coupée. Elle avale trois verres d'eau, prend un cachet de Tylénol et se recouche.

Elle émerge vers midi. Le sommeil a été mauvais et elle n'est pas encore tout à fait remise. Lorsqu'elle fait un excès d'alcool, ce qu'elle évite le plus possible, le scénario est toujours le même : d'abord assommée, elle dort deux heures, puis s'éveille. Jusqu'à l'aube, elle se tourne et se retourne dans le lit avec une migraine lancinante, incapable de dormir ou de lire, à se maudire d'avoir eu la bêtise de s'enivrer alors qu'elle sait d'expérience ce qui suivra. La nuit dernière n'a pas fait exception. Elle va mieux, mais ne va pas bien et n'a envie de rien faire, surtout pas de charger une voiture et de rouler pendant des heures. Elle partira demain.

Après une sieste dont elle sort reposée, elle est prête à marcher sur la grève comme Elfie le réclame. La chienne se dirige vers la gauche, à l'opposé de la maison du peintre, et Claire la suit, car elle veut conserver intacte son image liminaire. Au flanc du talus, un minuscule oiseau brun à gorge rouge et blanche semble butiner une fleur jaune — qu'elle n'identifie pas plus qu'elle ne peut nommer l'oiseau —, son long bec plongé dans la corolle. Elle s'arrête pour l'observer. Suspendu dans les airs, il bat frénétiquement des ailes pour rester immobile. Un oiseau-mouche? Il lui paraît bien loin de chez lui, mais il est vrai qu'elle ne connaît rien aux oiseaux. Si ses souvenirs sont bons, il n'est pas dans le livre qui est toujours sur le bureau. Elle marche en pensant plus ou moins à tout ce qu'elle doit vérifier dans la maison avant de partir, et découvre soudainement qu'Isidore Beaulieu a surgi dans son esprit sans qu'elle ait conscience du moment où cela s'est produit. Il est aussi net que s'il était devant elle, semblable à cet autoportrait figurant dans un livre d'art qui le montre de dos à son chevalet. Il se tient exactement là où elle était la veille et peint un détail de la robe de la jeune femme triste assise sur la galerie. Adeline Monié était-elle réellement présente, ce jour-là, ou bien déjà imprimée de manière indélébile dans son souvenir?

À l'endroit habituel, la chienne fait demi-tour. C'est la dernière fois et Claire éprouve un vague regret. Elle aime cette promenade, ce fleuve, ce ciel. Elle aime sa grande table face à ce fleuve et ce ciel. Si seulement elle n'était pas seule, vivre ici quelque temps serait agréable. Surtout après ce qui est arrivé la veille, cette première image parfaite, et également cette façon dont Isidore Beaulieu commence de prendre place dans son imaginaire, comme elle espérait que cela se produise en venant s'installer près de sa maison. Est-ce qu'à Montréal elle sera aussi disponible mentalement pour s'immerger dans son sujet? Rien n'est moins sûr. Il serait peut-être plus judicieux de rester un peu. Du moins jusqu'à ce que le maire donne signe de vie. S'il le fait. Sans accès à la maison et sans introduction auprès des personnes qui ont connu Beaulieu, elle n'aura guère de raisons de persister, parce que ce qu'elle pourra faire ici se limitera à tourner des extérieurs du fleuve et du bâtiment. En outre, sans informations supplémentaires, elle aura du mal à exploiter le contraste entre les peintures de l'église et celles qui représentent la jeune femme triste. Ce serait une grosse déception, car ce n'est pas le type de documentaire qu'elle comptait réaliser. Elle voulait entrer dans l'intimité du peintre, le faire revivre aux yeux des spectateurs par le biais de récits de ses contemporains. Sans témoins du passé, sans images des lieux où il a vécu ni de ses objets familiers, elle ne pourra pas faire un film sur le peintre, seulement sur son œuvre, et devra le repenser complètement. Mais avant d'en arriver là, le plus sage est de donner quelques jours à monsieur Létourneau. Elle avisera par la suite.

::

Les provisions sont épuisées et une nouvelle visite au dépanneur s'impose. La fois précédente, elle avait laissé Elfie dans la voiture, habituée à ce que les chiens ne soient pas admis dans les magasins, mais dans les allées, elle avait croisé un homme déambulant avec son labrador sur les talons. Aujourd'hui, elle en fait autant. Si on le lui reproche, il suffira de ramener la chienne au véhicule. C'est le contraire qui se produit : madame Bolduc s'extasie en adoptant ce ton nasillard et infantilisant que la plupart des gens utilisent pour s'adresser aux bébés et aux animaux.

— T'es donc ben beau, mon beau pitou ! Comment tu t'appelles ?

Et n'espérant tout de même pas recevoir une réponse canine, elle se tourne vers sa maîtresse.

— Elfie.

— Viens, Elfie, j'ai quelque chose de bon pour toi.

Un biscuit au chocolat surgit de sous le comptoir, sans doute issu de la réserve personnelle de la commerçante. Elfie l'avale tout rond et en redemande. Claire s'interpose : il ne faut pas lui donner de mauvaises habitudes.

— Pour une fois, plaide madame Bolduc en lui en offrant un autre. Vous pouvez la comprendre, vous aussi vous aimez le chocolat.

Claire aurait du mal à prétendre le contraire, car son chariot contient un bel échantillonnage des ressources du magasin en la matière. En la voyant passer à la caisse, on pourrait présumer sans grand risque de se tromper qu'elle aime mieux grignoter des sucreries que cuisiner.

Madame Bolduc flatte la chienne, qui la regarde avec adoration.

— Elle est si belle, répète-t-elle.

C'est vrai, et cela fait plaisir à Claire qu'on le lui dise. Hier soir, elle a passé une demi-heure à brosser sa robe, qui est aujourd'hui bien lustrée. Elle a compris que, tant qu'elle resterait, ce serait ainsi quotidiennement. Les cockers anglais ont des poils longs dans lesquels s'entortillent toutes sortes de feuilles, brindilles et autres végétaux. Au parc, où la nature est civilisée, les dégâts sont limités, ce qui n'est pas le cas ici. En se jetant dans le boisé à la poursuite de quelque rongeur, Elfie a illustré parfaitement ce que signifie *chiens broussailleurs*, une expression qui décrit le comportement de sa race, mais que Claire n'avait pas encore eu l'occasion d'observer. La chienne est ressortie du bois bredouille, mais dans quel état ! Claire n'a pas intérêt à reporter le brossage au lendemain, sinon la fourrure d'Elfie sera trop emmêlée. La toiletteuse l'a bien avertie : si ses poils font des nœuds, il faudra la raser, et si on la rase, ils repousseront frisés et moins beaux. Elle brosse, donc, brosse et brossera, même si cela ne plaît pas à la principale concernée.

Au retour, elle téléphone à sa mère. Si elle ne l'a pas encore fait, malgré sa promesse de l'appeler souvent, c'est parce qu'elle savait qu'elle se retrouverait à son corps défendant en train de lui raconter ses doutes et ses angoisses. Dès que la moindre chose va de travers dans sa vie, Diane a des antennes qui l'en informent et ne la lâche pas sans avoir appris de quoi il s'agit. Puisque pour le moment elle reste ici, Claire pense qu'il n'y a plus de problème et qu'elle peut lui parler et lui donner le numéro de son téléphone fixe. Sa mère veut tout savoir : ce qu'elle mange (elle ment un peu — beaucoup — pour avoir la paix), ce qu'elle lit (elle est plus diserte et plus franche), si elle dort bien.

— Vraiment, tu ne t'ennuies pas ? Moi, je serais incapable de vivre seule dans un lieu aussi isolé.

Claire se garde bien de lui dire qu'elle non plus n'en est apparemment pas capable.

::

Décidée à bien se nourrir, elle a préparé une soupe. La bouteille de vin blanc reste intacte dans le frigo, car le souvenir du dernier excès est encore vivace. Elle pose le journal à côté de son assiette. Comme l'habitude de lire de la prose journalistique au repas du midi lui manquait, elle a conclu un arrangement avec madame Bolduc : elle le lui paiera d'avance pour une semaine et celle-ci le confiera au facteur, qui le mettra dans sa boîte aux lettres. Cet accord pourra être interrompu n'importe quand. Elle aurait préféré recevoir un quotidien montréalais mais, faute de clientèle, le dépanneur n'en a pas en dépôt. Il faudrait s'abonner, ce qui est impossible puisqu'elle est susceptible de partir d'un jour à l'autre. Va donc pour le journal local.

Elle se plonge dans les nouvelles qui ont été jugées assez importantes pour faire l'objet d'un article. *Manif dimanche pour le maintien des services à l'hôpital de Baie-Saint-Paul. Une récente étude parasismique laisse croire à un effondrement de la bâtisse advenant un séisme supérieur à 6,5 à l'échelle de Richter. Ne voulant prendre aucun risque, le ministre de la Santé a annoncé sa démolition.* Cet hôpital est le plus proche du village, les gens doivent être soucieux à la perspective de devoir se rendre à Québec en cas d'urgence. *Des milliers de citoyens ont manifesté cet après-midi à Baie-Saint-Paul, dans Charlevoix, pour exprimer leur inquiétude face à la démolition de leur hôpital. Les manifestants exigent le maintien temporaire des services, en attendant sa démolition et sa relocalisation.* Coincé dans son fauteuil roulant, le maire ne pouvait pas y participer, bien évidemment, mais sa sœur? Et les Bolduc? *Blessée et semi-autonome, une dame de 89 ans affirme avoir été renvoyée chez elle en taxi, seule au milieu de la nuit, sans qu'aucun membre de sa famille ne soit avisé par le personnel de l'Hôpital de Hull.* Décidément, les nouvelles sont réjouissantes. *Un joueur de baseball s'est fracturé une jointure de la main gauche en frappant son casier du poing après une défaite.* Pauvre casier!

Le repas terminé, Claire regagne sa table de travail pour se plonger dans un ouvrage décrivant le milieu artistique parisien de l'après-guerre. Beaulieu a séjourné dans la capitale française à cette période; malheureusement, il n'est pas assez connu pour être mentionné dans le livre.

L'oiseau aperçu hier n'est plus là. Il ne figure pas dans le recueil de haïkus. Peut-être s'était-il égaré, emporté par un coup de vent trop fort. Quant à l'auteur du recueil, c'est bien le locataire qui l'a précédée ici. Madame Bolduc a reconnu sa photo sur la quatrième de couverture.

À l'exception de la commerçante, Claire n'aura pas de contact humain aujourd'hui. Elle le savait à l'avance, et cela ne la frustre pas. Ce n'est pas comme d'espérer parler à quelqu'un et de se heurter à un répondeur. L'absence du rendez-vous téléphonique avec Jean-Louis lui donne une étrange sensation de liberté: *elle n'a pas* à téléphoner. Pourtant, c'est elle qui a décidé de l'appeler chaque soir. C'est un moment important dans sa journée. Elle s'y prépare, regarde l'heure, pense qu'il est trop tôt, qu'il ne sera pas rentré, qu'elle va entendre sa voix disant de laisser un message, ce qui curieusement l'angoisse comme si cela signifiait qu'il ne rentrera pas. Tous les soirs, quand elle attend l'heure, elle est incapable de faire autre chose qu'attendre. Elle commence une demi-heure avant. Plutôt trois quarts d'heure avant. Et après, le vide : c'est fini jusqu'au lendemain. Ce qu'elle ne lui a pas dit tourne dans sa tête. Si elle le rappelle, il la prendra pour une *dépendante affective*. Il met tant de mépris dans cette formule ! C'est généralement au masculin qu'il l'utilise, pour désigner son collègue Serge incapable de mettre fin à une relation amoureuse qui le détruit. Elle ne voudrait pas en être la cible. Elle n'a d'autre choix que de reporter le moment de lui dire, ou plutôt de *ne pas* lui dire, parce qu'ils ne se sont rien dit depuis qu'elle est ici. *Ça va ? — Ça va. — La job ? — La routine. — Le repérage ? — Ça va. — La prochaine réunion ? — Dans un instant.* Et c'est fini. Ces appels durant lesquels rien d'intime ne se produit la laissent accablée de solitude. Ce soir, elle n'espère rien et se sent beaucoup mieux.

Elle se sert finalement un verre de vin qu'elle emporte sur la terrasse. Le soleil dessine les contours du gros érable qui abrite une colonie d'écureuils. Ils ont l'air pris de frénésie, se poursuivent, s'esquivent au dernier moment, sautent sur des branches trop fines et se rattrapent de justesse. Elfie, en arrêt dans une impeccable posture de chien de chasse, frémissante de désir, les suit du regard en gémissant sourdement. Ils ne lui prêtent aucune attention.

::

Monsieur Létourneau l'appelle dans la matinée du lundi et lui propose de passer chez lui. Elle s'y rend aussitôt sans prendre la peine de se changer : son vieux jean ne peut pas faire plus mauvaise impression que la jupe colorée de sa première visite. Les invités semblent repartis : la maison est silencieuse. Anna l'introduit sans faire de remarque, presque chaleureuse. Claire comprend vite pourquoi : le maire a enquêté à son sujet et ce qu'il a découvert est satisfaisant.

— J'espère que vous ne m'en voulez pas : même si vous m'avez d'emblée inspiré confiance, mes responsabilités d'élu municipal m'obligeaient à procéder à quelques vérifications.

Claire, qui à vrai dire n'y avait pas pensé, proteste que c'est naturel.

— Mon filleul, notaire à Montréal, a un confrère qui fraie avec le milieu du cinéma. Tout ce qui lui a été rapporté est à votre avantage. Il m'a appris que vous avez fait vos classes avec un documentariste reconnu et que par la suite vous avez travaillé avec plusieurs autres comme assistante, ce qui à votre âge n'est pas si fréquent. Il m'a également dit que vous avez une réputation de sérieux et qu'on vous prête du talent. J'ai été ravi de découvrir que mon intuition ne m'avait pas trompé.

Anna entre avec le plateau du café.

— Je vous le laisse. Vous le servirez, Mademoiselle ?

— Avec plaisir. Je vous remercie.

— J'étais le notaire de Beaulieu, reprit le maire, mais je n'exerce plus, et l'héritier fait affaire avec quelqu'un de Montréal. Cependant, il m'a donné une clé pour d'éventuels visiteurs lorsque la maison sera mise en vente. Ce sera plus commode pour eux de la récupérer sur place. Cet héritier est le troisième : son grand-père, le frère de Beaulieu, qui était très proche de lui, n'avait pas voulu toucher à la maison, et son père, qui est décédé le mois dernier, pas davantage. Mais lui n'est retenu par aucune attache sentimentale, car il n'a pas connu son grand-oncle. Si elle n'est pas encore sur le marché, c'est qu'il a l'intention de faire évaluer les toiles qu'elle contient pour voir ce qu'il peut en tirer.

— Mais alors, pour le musée ?

— Il faudrait que nous puissions acheter la maison ainsi que les peintures.

— Je suppose que cela représente pas mal d'argent.

— Moins qu'il l'espère. Non seulement la maison n'a pas beaucoup de valeur à cause de sa vétusté, mais il aura du mal à trouver des collectionneurs prêts à payer cher pour une toile qui semble exister à de nombreux exemplaires.

— Peut-être, en effet… Comment comptez-vous réunir les fonds ? Outre une éventuelle subvention, je veux dire.

— Grâce à une souscription. Évidemment, ce n'est pas avec nos concitoyens qu'on aura beaucoup de succès : Beaulieu a laissé le souvenir d'un vieux fou et vous savez que nul n'est prophète en son pays. Mais si on arrive à repousser la vente jusqu'à la sortie de votre documentaire, on aura de meilleurs arguments pour trouver de l'argent.

— Je vous avertis que ça prendra des mois. Je commence à peine.

— Je le sais, mais le reste n'ira pas vite non plus.

Il ouvre son tiroir et en tire une clé qu'il lui tend.

— Voici la clé de la maison.

— Vous me la confiez ?

— C'est bien cela.

Elle n'en revient pas : jamais elle n'aurait espéré en avoir le libre accès.

— J'ai joint l'héritier ce matin : il a donné son accord. Sans doute espère-t-il que vous valoriserez son bien. Il y a tout de même une restriction : si vous découvrez des secrets compromettants, vous ne devez pas les divulguer sans autorisation.

— Dois-je comprendre qu'il y a encore dans la maison des papiers personnels du peintre ?

— Oui. Après sa mort, tout est resté en l'état. Il vous faut cependant attendre mercredi pour y aller. La femme de ménage qui l'entretient une fois par mois y passera demain.

Il lui remet également une feuille sur laquelle il a établi la liste des gens qu'elle peut contacter.

Elle se confond en remerciements.

— Cela me fait plaisir, Claire, lui dit-il, et je me réjouis que vous ayez décidé de faire ce film. Si vous avez besoin de quoi que ce soit d'autre, n'hésitez pas à me le demander.

::

Dans l'après-midi qui suit, elle est trop excitée par la perspective d'entrer bientôt dans la demeure du peintre pour parvenir à se concentrer sur sa lecture et décide d'avancer l'heure de la promenade. Ayant envie de revoir la maison depuis le renfoncement où Beaulieu installait son chevalet, elle part vers la gauche. Comme précédemment, elle marche sans regarder en arrière, mais cette fois, elle fait attention en lançant le morceau de bois flotté qu'Elfie lui a apporté. Parvenue à son but, elle se retourne et ressent de nouveau cette émotion qui l'a prise le jour où elle l'a découverte dans son objectif. Elle brûle de se mettre au travail.

En rentrant, elle commence la rédaction d'une ébauche de scénario dans son journal de repérage : la première image sera une peinture de Beaulieu, la dernière, la maison telle qu'on la voit aujourd'hui depuis la grève. Mais avant de filmer, elle aura pris soin de placer un siège sur la galerie : le film débutera par la jeune femme triste assise sur sa chaise et finira par la chaise vide. Il lui reste à découvrir ce qui s'est passé entre les deux images. Et peut-être pour quelle raison les arbres sont bleus.

Ce soir non plus, elle n'appellera pas Jean-Louis, qui est encore à Val-d'Or, Dieu seul sait pourquoi. Au lever, en posant le pied hors du lit, elle s'était sentie étrangement détendue à la perspective d'une journée complète à lire et à écrire, à marcher et à respirer. Elle avait pensé qu'il n'était plus exclu de rester, puisqu'elle commençait de se sentir bien. Maintenant qu'elle a la clé de la maison, elle y est obligée, du moins le temps de tirer du lieu tout ce qu'il peut lui offrir. Heureusement qu'elle n'a rien dit à Jean-Louis! Elle aurait eu l'air d'une girouette. Puisque la décision est prise, elle n'a plus qu'à véritablement emménager.

Jusqu'à maintenant, elle a vécu ici comme à l'hôtel. Il n'y a guère que dans la salle de bains qu'elle a disposé ses affaires. Pour le reste, elle a sorti juste ce qui est indispensable : des vêtements de rechange, ses chaussures de sport pour marcher sur la grève, quelques livres et, bien sûr, le plat d'Elfie pour qu'elle soit moins dépaysée. Claire a vite compris que c'était une idée sottement humaine de penser qu'elle avait besoin d'un objet lui appartenant pour être rassurée : la chienne s'est sentie instantanément chez elle et, visiblement, contrairement à sa maîtresse, elle ne s'ennuie pas du tout.

Deux bagages ne sont pas encore ouverts. L'un est un gros sac bourré de vêtements chauds qui ne serviront pas avant un bon mois — ou qui ne serviront jamais, si elle repart avant le froid. Elle le laisse de côté et ouvre l'autre, une mallette qui contient des objets destinés à créer l'illusion qu'elle est chez elle. Une tasse de café à la main, elle les dispose ici et là, les bouge un peu à droite, un peu à gauche, jusqu'à ce qu'ils soient placés commodément ou bien mis en valeur.

Pour la cuisine, deux jolis verres à pied en cristal qui donneront un air de fête à la visite de Jean-Louis pour l'Action de grâces. À moins qu'il vienne avant. Cela lui paraît — c'est — très éloigné. Elle n'est pas censée retourner à Montréal pendant ces deux mois, c'est donc à lui de se déplacer. Même s'il a dit qu'il ne voulait pas gêner son travail par sa présence, elle espère qu'il aura envie de la voir plus tôt. Il lui manque déjà tellement. Sa chaleur, son odeur, sa main posée sur son ventre quand il dort. Il y a si longtemps qu'ils dorment ensemble. S'il venait, peut-être leurs corps retrouveraient-ils l'élan d'autrefois? Comme le terme *autrefois* donne aux choses un aspect lointain… Est-ce le mot juste? Tout de même pas. Ils ont fait l'amour pendant l'été, leur relation n'est pas devenue chaste, mais elle est si souvent endormie à l'heure où il rentre, et le matin, ils sont toujours pressés. Ici, ils se retrouveraient. Les longues marches sur la grève et les soirées sur la terrasse leur donneraient le temps de parler comme lorsqu'ils étaient étudiants et passaient des heures à déambuler dans les rues de la ville. Elle va essayer de sous-entendre qu'il pourrait venir plus tôt sans avoir l'air de le quémander.

Dans la chambre, sur la table de nuit de droite, du côté de Jean-Louis, elle dispose quelques photos glissées dans des cadres anciens : sa grand-mère maternelle, sévère et chapeautée, sa grand-mère paternelle, souriante, en uniforme de la Croix-Rouge, sa mère jeune fille, ses parents, Florence et elle, au parc du Bic. Et eux deux, bras dessus, bras dessous, heureux et rieurs, à l'avant-dernière Saint-Jean. Sur celle de gauche, entre le réveille-matin et la bouteille d'eau, une anthologie de poésies qu'elle feuillettera à l'occasion, avant de dormir, pour que quelques strophes l'accompagnent dans ses rêves.

Sur le bureau, enfin, le pot à crayons en étain et la bonbonnière en porcelaine peinte qui contient la gomme à effacer et le taille-crayon trouvent leur place là où il n'y avait que son cahier. La voici installée et elle en éprouve du contentement.

Malgré tout, la soirée se traîne, interminable.

::

Aujourd'hui, la maison d'Isidore Beaulieu appartient à la femme de ménage. Claire aimerait savoir si elle vient le matin ou l'après-midi. Dans le premier cas, elle-même pourrait la découvrir un peu plus tôt. C'est un bâtiment inoccupé et régulièrement entretenu, il ne peut pas y avoir un gros travail à faire : aérer, ôter la poussière et les toiles d'araignées. Elle a la tentation d'aller voir si la femme est partie, mais s'en empêche : monsieur Létourneau lui a demandé d'attendre mercredi.

Faute de pouvoir commencer par ce qui est sa priorité, elle étudie la liste des témoins de la vie de Beaulieu que lui a rédigée le maire. Peut-être pourrait-elle essayer d'en rencontrer un dès aujourd'hui ? Le peintre est mort depuis plusieurs années et les survivants ne sont pas nombreux : il y a seulement quatre noms, dont le premier est celui du maire lui-même.

1. Maître Létourneau, notaire d'Isidore Beaulieu.
2. Léa Brunet, femme de ménage de Beaulieu. Elle est très âgée et vit dans une résidence de Rivière-du-Loup, sa ville natale. D'après son fils, elle a souvent des absences.
3. Louis Rochette, le seul ami qui, à l'exception de son frère, lui rendait visite les dernières années. J'ai ses coordonnées à Québec, mais je n'ai pas pu le joindre. Cependant, je pense que s'il était mort, je l'aurais su.
4. Félix Provencher, son voisin, propriétaire de la maison que vous occupez. Ils étaient en mauvais termes, mais se côtoyaient par la force des choses parce que Provencher n'avait pas encore fait construire sa maison actuelle.

Uniquement des hommes sur cette liste, à l'exception de la femme de ménage, dont il n'est pas sûr qu'elle puisse tirer quelque chose. Mais le maire s'est contenté des proches de Beaulieu, forcément. Il n'a pas eu l'idée de mentionner sa propre sœur ou bien la femme de Provencher, que Claire a rencontrée lors de la remise des clés de sa maison et qui semble plus amène et plus bavarde que son mari. Se rendre à Rivière-du-Loup depuis ici est une expédition, et le commentaire sur l'état de la vieille dame n'est pas encourageant. Ce sera pour plus tard. Quant à Québec, elle le programmera dans les jours à venir. Le seul témoin accessible aujourd'hui est Provencher.

::

Claire arrête sa voiture devant la porte d'entrée et se garde d'en sortir à cause des deux molosses qui vivent en liberté sur le terrain et se précipitent vers le véhicule en aboyant de manière menaçante. Pourtant, cette fois, Elfie n'est pas avec elle. Comme sa présence avait déchaîné les bêtes, elle a jugé plus sage de s'abstenir et a refusé de se laisser attendrir par son air piteux, à la fenêtre, les deux pattes sur l'appui, en train de la regarder partir avec des yeux pleins de reproches. Un rideau bouge et le visage de madame Provencher apparaît derrière la vitre. Claire lui fait un petit signe de la main. La femme sort et appelle les chiens qu'elle conduit à une sorte de cabane de jardin qui doit leur servir de niche. Elle les y enferme avant de s'approcher de la voiture en souriant. Elle n'est pas jeune, soixante-dix ans, peut-être, à peu près comme le maire, mais elle est restée vive.

Claire s'excuse de ne pas avoir averti et elle assortit ses excuses d'un petit mensonge :

— Ma visite n'était pas prévue, j'y ai pensé en passant devant votre allée.

En réalité, elle s'était demandé s'il valait mieux appeler ou non. Mais elle aurait dû expliquer au téléphone pourquoi elle voulait leur parler et, vu qu'ils étaient en mauvais termes avec Beaulieu, elle craignait un refus.

— Ça ne fait rien, venez. Vous avez un problème à la maison ? Mon mari n'est pas là, mais je lui dirai quand il rentrera.

— Non, ce n'est pas ça, tout est parfait.

Madame Provencher la fait entrer et lui propose un café, que Claire accepte.

— Vous ne vous ennuyez pas toute seule ?

— Non, pas du tout — un deuxième mensonge —, j'ai beaucoup de travail. Je vous ai dit que je prépare un film sur Isidore Beaulieu.

— Hum… Je me demande qui peut s'intéresser à ce vieux fou.

Vieux fou : le maire a dit vrai au sujet de la réputation du peintre.

— Vous savez qu'il y a un de ses tableaux au Musée des beaux-arts de Montréal ?

— Ah ben…

— Vous l'avez bien connu, j'imagine ?

— Pas moi, mon mari. Enfin, si on peut dire. La maison que vous louez appartient depuis toujours à sa famille. C'est là qu'il a été élevé. Quand on s'est mariés, on y a vécu un bout de temps avant de faire construire celle-ci. Je n'aimais pas être aussi près du fleuve. Les jours de brouillard, on ne sait pas où finit la terre, j'avais peur pour les enfants.

— Beaulieu habitait à côté pendant ces années-là ?

— Oui. Je l'apercevais avant qu'il descende au bord de l'eau, quand il arrivait au bout du terrain, après le boisé. Mais je ne l'ai jamais vu de près et je ne lui ai jamais parlé.

— Et sa femme ?

— Il y avait longtemps qu'elle n'était plus là.

— Mais votre mari, lui, il parlait à Beaulieu ?

— Non. Ils étaient fâchés. À cause d'une histoire de chien, je crois. Je ne me souviens pas bien. Ça remonte loin. Il me semble qu'un des chiens de mon beau-père s'était attaqué à un chat de Beaulieu, quelque chose du genre.

Claire pense que, si les bêtes étaient aussi agressives que celles qu'ils ont actuellement, ce n'est pas étonnant.

— Vous croyez que votre mari accepterait de me raconter ce dont il se souvient ?

— Je ne sais pas trop. Il n'est pas bien bavard. Mais vous pouvez essayer. Je vais lui en dire un mot pour le préparer.

Elle raccompagne sa visiteuse et l'invite à passer prendre un café quand elle voudra ; elle aime bien avoir de la compagnie.

Au retour, Claire note dans son cahier le peu qu'elle a appris, puis elle part avec Elfie pour leur promenade quotidienne au bord du fleuve.

::

Avant d'appeler Jean-Louis, elle se demande une fois encore pourquoi il est allé voir ses parents. Parce qu'il s'ennuyait seul à la maison et voulait tenir sa promesse — faite à lui-même, elle n'a rien exigé de tel — de ne pas venir interférer dans son travail ? L'avouera-t-il ? Ce serait étonnant.

À sa grande surprise, il admet sans difficulté s'être rendu à Val-d'Or parce qu'elle était absente. Elle n'aurait pas cru qu'il avait besoin d'elle comme elle a besoin de lui. Elle est heureuse qu'il en convienne, même à demi-mot. Il est aussi allé voir Josée, sa sœur, retenue à la maison par une indisposition du bébé. La dernière fois, Élian venait de naître. Le prendre dans ses bras avait ravivé ce désir d'enfant que Claire a l'impression d'avoir toujours eu, du moins depuis qu'elle a commencé d'en garder, au début de l'adolescence. Quand elle en parle, Jean-Louis ne dit pas non, mais lorsqu'ils étaient étudiants, il disait *Oui, dès que nous serons financièrement stables.* Il y a quatre ou cinq ans qu'ils le sont, pourquoi attendre ? *Avant, il faut faire tout ce que la présence d'un enfant ne nous permettra plus. Nous sommes encore jeunes. Nous avons le temps.* Ils auront trente ans dans quelques mois, ils ne sont plus si jeunes. Elle profite qu'il mentionne sa sœur et le bébé pour glisser :

— Ce serait une bonne idée de lui donner un cousin ou une cousine à cet enfant-là.

— Nous en avons déjà discuté, et tu étais d'accord : ce n'est pas le moment. Concentre-toi sur ton documentaire. Il faut faire une chose à la fois pour mettre toutes les chances de réussite de son côté.

Elle est moins sûre que lui d'avoir été de cet avis-là. Bien des femmes concilient travail et maternité et elle ne voit pas pourquoi elle ne pourrait pas en faire autant. Une fois rentrée à Montréal, elle abordera de nouveau la question. Quand ils seront ensemble, détendus, chez eux. Le téléphone ne se prête pas à une conversation de cette importance. Alors, elle change de sujet pour lui raconter sa visite aux Provencher et, surtout, lui parler de la clé qu'elle a obtenue. Son exaltation est perceptible et il la félicite, content pour elle. Lorsqu'elle raccroche, elle est moins affectée que d'habitude. Depuis qu'elle est ici, c'est la première fois qu'elle a le sentiment qu'ils ont partagé quelque chose.

::

Pendant que le café passe, elle regarde distraitement les écureuils et les étourneaux dans l'érable. Quelques feuilles sont touchées de rouge, qui ne l'étaient pas hier. Déjà l'automne ?

Le moment est enfin venu : la maison d'Isidore Beaulieu l'attend pour une visite à laquelle elle aspire depuis des semaines, voire des mois. Il aurait été plus rapide d'y aller par la route, car cela lui aurait évité de descendre et de remonter la falaise, mais elle a préféré opter pour le côté du fleuve. Ainsi, elle aura le sentiment de marcher dans les pas du peintre. Elfie, d'abord surprise qu'elle emprunte cet escalier devant lequel elles ont coutume de passer sans s'arrêter, atteint le plateau bien avant sa maîtresse. La caméra allumée, Claire avance à pas lents vers la demeure inhabitée. À sa construction, elle devait être pareille à la sienne.

Les dissemblances sont minimes : le temps a presque effacé les peintures des boiseries, la gouttière du toit pend, arrachée par le vent, les bardeaux grisâtres paraissent d'origine et la galerie montre des signes de délabrement. Mais c'est la même pierre qui a servi à bâtir les murs, et sur un même plan. Deux maisons pareilles érigées à la même époque par le même maçon. L'impression ressentie à l'approche est cependant très différente : celle des Provencher est au milieu d'un espace découvert alors qu'ici les arbres, que l'on a dû laisser pousser à leur guise, sont trop près de la maison et lui prennent, de toute évidence, une bonne part de la lumière extérieure. Elfie sillonne le terrain, disparaît dans la végétation, aboie de manière insistante, probablement après un écureuil ou un campagnol. Claire monte les trois marches de la galerie et parvient devant la porte. Elle engage la clé, libère le pêne, tourne la poignée, mais avant d'entrer elle attend d'avoir jugulé son émotion.

Malgré le nettoyage fait régulièrement, elle imaginait que cela sentirait la poussière et le renfermé. Au contraire, c'est une odeur d'encaustique qui l'accueille, comme chez le notaire où une ménagère attentionnée entretient des meubles vénérables. Comme si la maison était habitée.

La disposition intérieure est la même que chez elle : un corridor central dessert les différentes pièces. Il est sombre et elle ne distingue que le rectangle plus clair des ouvertures. Elle allume et referme la porte pour empêcher Elfie d'entrer. Trois lampes éclairent le passage malgré sa brièveté et elle comprend pourquoi : cela permet de voir les toiles qui couvrent les deux murs pratiquement du sol au plafond. Ce corridor est un musée. Avant de les regarder de plus près — mais elle a tout de même le temps de constater que c'est toujours le même sujet qui revient —, elle décide de faire le tour de la maison, curieuse de vérifier si c'est partout pareil. Ce n'est pas le cas. Il y a bien des tableaux dans la cuisine, la grande salle, la chambre, le bureau et jusque dans le cabinet de toilette, mais ils sont différents. Elle a du mal à repasser par le corridor, où ce motif sans cesse répété est obsédant, presque cauchemardesque, impression accentuée par les étranges arbres bleus. Oppressée, elle éprouve le besoin de prendre l'air. Elle reste un moment sur la galerie, à respirer profondément. Lorsqu'elle se sent mieux, elle se rend compte qu'avant d'y retourner il lui faut un peu de temps pour assimiler ce qu'elle a vu. Elle verrouille la porte, appelle Elfie et s'en retourne par la route. C'est l'heure du facteur. Il s'arrête, lui donne son journal, dit un mot au sujet de la chienne, commente la météo et repart.

Assise sur sa terrasse ensoleillée, elle s'interroge sur cette pulsion de fuite, la dernière chose à laquelle elle se serait attendue, et qui lui paraît aberrante maintenant qu'elle est loin de la maison. Le facteur est réel, la sensation de menace qui émane d'une demeure inhabitée ne l'est pas. Elle essaie d'analyser ce qu'elle a ressenti. Ce n'était pas de la peur, du moins pas une peur rationnelle, pas la crainte d'un danger. Qu'était-ce alors? Qu'a-t-elle éprouvé dans cette maison vide? La dernière fois qu'un être vivant était en ces lieux, c'était la veille. Une employée est venue, a balayé, épousseté, ouvert les fenêtres pour renouveler l'air, ciré les meubles. Cette femme s'est comportée comme si c'était un endroit sans mystère, normal. Mais Claire sait qu'il ne l'est pas: cette accumulation de toiles toutes semblables trahit une folie, la folie du peintre qui reste palpable entre les murs où il a vécu, bien qu'il ait disparu depuis longtemps.

Sachant qu'il avait peint la même chose une grande partie de sa vie, elle s'était dit, avant la découverte de ce corridor, qu'une telle obsession devait avoir un aspect pathologique, et elle avait pensé que c'était *intéressant*. Du point de vue documentaire, c'est indubitablement intéressant, mais sur le plan humain, qu'est-ce que cela peut signifier de peindre sans relâche l'épouse aimée morte trop tôt et jamais remplacée? Quand elle a éprouvé ce coup de foudre fondateur devant la toile de Beaulieu du Musée des beaux-arts, Claire ne s'est pas interrogée sur son émotion. Il lui semble que ce qui l'avait attirée, c'était le visage de cette femme triste et la beauté du fleuve. Elle n'avait pas décelé la déraison, qui maintenant lui paraît presque évidente, car elle réside, croit-elle, dans l'accumulation, dans l'obsession, et non dans le sujet lui-même. Il faut qu'elle y retourne afin de vérifier si elle éprouve devant une toile isolée des autres le même trouble que dans le corridor où elles sont accumulées.

Avant d'y aller, elle mange en lisant le journal. Le contact avec l'actualité, toujours aussi brutale, remet les choses à leur place. Outre les diverses catastrophes qui frappent le monde, des inondations en Asie à la sécheresse en Afrique, en passant par les accidents de la route et les fermetures d'usine, il y a l'hôpital de Baie-Saint-Paul qui reste au centre des préoccupations locales. *Douche d'eau froide pour ceux qui croyaient qu'on pouvait éviter le déménagement temporaire des services de l'hôpital de Baie-Saint-Paul alors que l'Agence de la santé et le Centre de santé et de services sociaux de Charlevoix rejettent la proposition de l'ingénieur Gilles Filion.* C'est cela, la réalité, et non ce curieux malaise qui l'a poussée à fuir.

::

De retour à la maison voisine, elle attache Elfie au garde-corps de la galerie, car elle ne veut pas que l'exubérance de la chienne fasse courir un risque au tableau qu'elle va poser à l'extérieur. Cette fois, quand elle entrera, ce sera en connaissance de cause et elle ne se laissera pas surprendre. De toute façon, elle a l'intention de prendre le premier venu, celui qui sera le plus facilement accessible.

Une fois décroché, Claire appuie le tableau au mur, à côté de la porte. Mais le soleil l'éclaire trop et elle le bouge. En reculant pour mieux voir, elle a l'impression qu'il est presque à la place où le modèle était assis. Elle le fait glisser de nouveau pour le mettre exactement au bon endroit. Maintenant, les barreaux le cachent en partie et Claire prend une chaise dans la cuisine pour le surélever. Elle s'éloigne ensuite de quelques pas jusqu'au sentier qui vient du fleuve, là où le peintre découvrait sa jeune femme en revenant, après avoir monté les marches, du temps où elle était encore sur cette galerie et non dans sa mémoire.

L'observation attentive du motif lui révèle une différence avec la peinture vue au musée. C'est presque imperceptible, mais réel. Le fleuve, peut-être, qui est ici paisible sous le soleil? Elle croit se souvenir que l'autre montrait un flot plus sombre. Mais non, ce n'est pas juste cela. Elle se détourne pour reposer ses yeux afin de pouvoir porter un regard neuf sur la toile. Une marmotte qui observe les alentours et provoque chez Elfie des gémissements de convoitise l'amuse. La chienne qui veut s'élancer vers l'animal tire sur sa laisse, mais celui-ci ne bronche pas, comme s'il avait compris qu'il ne risque rien. Claire caresse Elfie pour la calmer, puis regarde de nouveau la toile, et là, elle voit : sur ce tableau, la jeune femme n'est pas triste, à peine mélancolique. Elle se précipite à l'intérieur pour vérifier les autres. Pas de doute : l'expression du modèle est chaque fois différente et, en contrepoint, il y a la nuance de bleu des arbres qui change de toile en toile. Dans le corridor, elles sont placées dans l'ordre : sur la première, en entrant à gauche, tout près du plafond, la jeune femme sourit. À mesure que l'on avance, le sourire s'efface, les commissures des lèvres tombent, la bouche devient amère et les yeux s'attristent. Rieurs au début, ils perdent progressivement leur éclat pour finalement s'éteindre, tandis que le bleu des arbres, d'abord doux et lumineux, s'assombrit jusqu'au noir. Sur la dernière toile, les traits ne sont plus tourmentés, mais ce n'est pas de la sérénité qui en émane : le visage évoque un masque inexpressif. Ce corridor raconte une histoire, celle d'une jeune femme qui sombre peu à peu. Il y a bien là de la folie, mais pas seulement celle du peintre. Claire décèle aussi une sorte de violence, essentiellement exprimée par ces arbres au bleu de plus en plus sombre et aux branches de plus en plus tourmentées, même si cette violence ne ressemble pas à celle qui éclate sur les peintures religieuses de l'église. Ici, elle est moins brute, sans doute en raison de l'amour du peintre pour son sujet.

Comment savoir ce qui est arrivé à cette jeune femme ? Le maire a dit à Claire que rien n'avait été enlevé après la mort de Beaulieu. La réponse se trouve peut-être dans ses papiers personnels. Claire ouvre les tiroirs du bureau. Ils recèlent un fouillis décourageant. Ce ne sera pas pour aujourd'hui : toutes ces émotions l'ont moralement épuisée. Elle va plutôt consacrer le reste de la journée aux activités de la vie quotidienne qui l'ennuient toujours beaucoup, mais qui aujourd'hui seront un bon dérivatif : du ménage, une brassée de linge… Et pourquoi ne ferait-elle pas une soupe avec la citrouille que madame Provencher lui a envoyée par le facteur ?

::

Il y a presque deux semaines qu'elle est ici et Claire ne songe plus à repartir. Il faut qu'elle reste à proximité de cette maison qui sera le lieu central de son documentaire. Dans les jours à venir, elle continuera le dépouillement du bureau, auquel elle devra consacrer beaucoup de temps tellement les papiers sont disparates et en désordre. Tant que ce lieu ne lui aura pas révélé tout ce qu'il peut lui apprendre, elle n'explorera pas d'autres voies. Il est inutile de chercher à rencontrer des gens avant de savoir si elle ne fera pas des découvertes qui changeront radicalement sa façon d'aborder les questions. Elle a entrepris de ranger les documents par catégorie : factures de fonctionnement, lettres personnelles, publicités reçues par la poste, souvent non décachetées, mais qu'il gardait ou, plutôt, jetait dans un tiroir. Les journées passent vite, mais les soirées sont longues. Après le repas, qu'elle mange en regardant les nouvelles, elle doit réfréner une sorte de vertige à la pensée des heures qui la séparent du sommeil. Afin de contrer la panique, elle a établi une routine : la télé, s'il y a une émission intéressante, ou l'un des romans qu'elle a apportés. Malheureusement, la pile s'épuise. Elle va devoir aller à La Malbaie en quête d'une librairie. Elle en profitera pour consulter ses courriels dans un café Internet ou à la bibliothèque. Il y a si longtemps qu'elle ne l'a pas fait. Qui aurait pu dire qu'elle serait capable de s'en passer alors qu'elle vérifiait ses messages plusieurs fois par jour ? Cela n'aurait bien sûr pas été possible dans un lieu *normal*, mais ici, il n'y a pas de normalité : elle vit comme hors du temps et du réel, avec pour seuls compagnons une chienne et un couple mort depuis longtemps.

::

Claire demande à Jean-Louis si Florence et Marc, qui partent le lendemain, lui ont fait leurs adieux.

— Non. Ils sont sans doute trop occupés.

S'ils n'ont pas eu de temps pour lui, ils n'en auront pas pour elle non plus. Elle est peinée, plus que cela, déçue. Qu'est-il arrivé à leur amitié pour que Florence, son inséparable, s'en aille pour deux ans sans un mot ?

— Dans les jours qui viennent, ajoute-t-il, ne me téléphone pas : j'ai un nouveau projet et il sera impossible de me joindre.

Un nouveau projet dont il ne lui a pas encore parlé ? Ce n'est pas dans ses habitudes : il lui fait toujours part de ses enthousiasmes. Il est vrai que, depuis qu'ils sont séparés, il se comporte

bizarrement, à la limite de l'impatience, toujours pressé d'interrompre la conversation. Elle essaie de lui en soutirer davantage,
sans résultat.

— Tu le sauras bientôt, n'insiste pas.

Il raccroche avant qu'elle n'ait eu le temps de lui demander
quel jour elle pourra l'appeler.

De toute la soirée, elle ne peut se défaire d'une irritation mêlée
d'inquiétude. L'étrange comportement de Jean-Louis la perturbe.
Certes, il est chaque soir pressé et peu communicatif, mais là,
c'était différent. Son refus de parler du nouveau projet est tout à
fait inédit. En dix ans de vie commune, elle n'a pas souvenir que
cela se soit jamais produit. Pourquoi a-t-il décidé de l'exclure?
Parce que c'est bien de cela qu'il s'agit. Cette attitude la blesse.
Qu'est-ce qui l'a motivée? Est-ce parce qu'elle-même, en venant ici,
l'a d'une certaine manière écarté de sa vie, même si c'est momen-
tané et si elle essaie de maintenir un vrai contact en lui parlant de
ce qu'elle fait? En réalité, elle non plus ne se livre pas vraiment:
comme chaque soir, elle s'est abstenue de mentionner ce qui la
trouble tout au long de ses journées passées dans la maison du
peintre: elle y sent une présence, celle d'une âme en peine. Est-ce
la jeune femme morte ou son mari inconsolable? À moins qu'ils
ne soient là tous les deux. Jean-Louis, tellement rationnel, en
rirait probablement. Elle pense avec un serrement de cœur que,
s'ils continuent ainsi, ils vont s'éloigner l'un de l'autre. Dès son
retour, elle lui demandera de venir la rejoindre ici. De vive voix,
chacun pourra plus facilement se confier à l'autre.

La revoilà avec la perspective de n'avoir aucun contact humain
pendant plusieurs jours. Rien qu'elle et Beaulieu. Beaulieu et son
obsession, son isolement, son retrait du monde des vivants, que
les papiers qu'elle classe vont peut-être lui permettre de
comprendre si elle finit par tomber sur quelque chose d'intéressant. Elle s'interroge souvent sur le malheur qui sourd de cette
maison, surtout quand elle descend les marches qui conduisent à

la grève lorsqu'elle se dirige, comme elle le fait maintenant à chaque promenade, vers l'emplacement où il plantait son chevalet.

::

La solitude de Claire est rompue de manière imprévue : le maire la convie à souper. Il s'excuse de cette invitation lancée au dernier moment, mais il voudrait la présenter à une amie de passage qui s'intéresse au musée. Il y aura également quelques notables du village membres du comité créé pour s'en occuper. En se préparant, Claire se souvient de la réaction d'Anna la première fois qu'elles ont été en contact, mais elle n'a rien de classique dans la maigre garde-robe dont elle s'est pourvue : elle ira donc chez le notaire dans l'une de ces tenues vivement colorées qu'elle affectionne. En accrochant à ses oreilles les créoles en argent martelé qui la font surnommer par Jean-Louis sa *gitane blonde*, elle pense qu'elle aura vraisemblablement l'air d'un perroquet dans une basse-cour. Elle découvre en arrivant qu'elle ne s'était pas trompée : ce qui passe pour être approprié dans les univers qu'elle fréquente, ceux du cinéma d'auteur et des ONG, est à des années-lumière aussi bien de l'élégance des épouses très mûres des notables régionaux, qui arborent corsages de soie et bijoux de prix, que de celle de l'amie dont elle n'aurait pas imaginé qu'elle pût avoir son âge. En fait, Maude est la petite-fille d'un compagnon de jeunesse du maire décédé quelques années plus tôt. Elle travaille dans le domaine culturel du développement touristique de Charlevoix et se trouve pour deux jours à La Malbaie à l'occasion d'un congrès organisé par la Chambre de commerce. Son style est celui des jeunes femmes de carrière : tailleur bien coupé, hauts talons, coiffure courte avec dégradé de mèches sophistiqué, clous en diamants aux oreilles. Ce n'est pas ce soir que Claire va faire tomber un préjugé sur la fantaisie des artistes.

Les trois notables du village sont le médecin, le notaire en exercice et le gérant de la banque. Claire pense qu'une tablée de dix personnes représente beaucoup de travail pour une maîtresse de maison âgée qui veut tout faire par elle-même, mais elle ne tarde pas à comprendre qu'il y a quelqu'un d'autre à la cuisine : madame Bolduc ne sait pas tout.

La documentariste montréalaise est au centre de l'attention. Le médecin, fort impliqué dans l'aventure du musée, lui demande d'où lui est venue l'idée de réaliser un film sur Isidore Beaulieu et elle répète l'histoire racontée au maire : le hasard et le coup de foudre. Il veut également savoir quelles sont les étapes de la réalisation. Pour éviter d'ennuyer la tablée, elle les résume brièvement. Mais ils ont envie d'en savoir davantage et elle doit expliquer la différence entre le synopsis, dont elle dit, pour faire simple, que c'est une sorte de liste de ce qui apparaîtra dans le documentaire, et le scénario, description détaillée de ce qui sera filmé et qui précise pour chaque séquence où cela aura lieu, ce qui sera montré, si ce sera en gros plan, s'il y aura une narration en voix off... Ils sont surpris qu'il y ait autant de stades préalables au tournage et que la préparation soit aussi minutieuse. Visiblement, ils n'étaient pas loin d'imaginer qu'il suffisait d'allumer la caméra et d'attendre qu'il se passe quelque chose.

Monsieur Létourneau mentionne la subvention de l'ONF, ce qui donne de la crédibilité à Claire vis-à-vis de Maude. Celle-ci prend le relais des questions. Elle a l'air de connaître le sujet et, malgré leurs différences évidentes, un courant de sympathie passe entre elles. Mais l'intérêt du reste des convives retombe, car les perspectives de distribution d'un film dont le tournage n'est pas encore commencé ne les passionnent guère. L'épouse du notaire s'arrange pour orienter la conversation sur la vie personnelle de la documentariste pendant que ceux que cela n'intéresse pas sollicitent, de la part de l'autre invitée d'honneur, des conseils pour assurer le financement de leur projet. Claire les écoute d'une oreille tandis qu'elle répond de son mieux à la curieuse. Cette dernière semble trouver suspect qu'une trentenaire s'installe dans une maison isolée dans le but de tourner un film. Elle cherche une cause qui aurait pu amener la citadine à se couper du monde : une rupture, un échec... Le seul moyen pour Claire de lui faire lâcher prise est de lui décrire sa vie dans les grandes lignes : elle a un conjoint avec qui elle vit depuis dix ans, il travaille dans une ONG qui va créer un dispensaire au Mali, ils habitent Montréal et projettent d'avoir un enfant après le documentaire.

Elle échange un regard avec Maude, assise en face d'elle. Celle-ci, devinant que Claire aimerait bien changer de sujet, prend l'initiative de lui poser une question.

— Tu connais peut-être mon frère ? demande-t-elle à sa vis-à-vis : Julien Dumoulin, qui fait des reportages pour la télévision.

— Julien ! Bien sûr. On était à l'université en même temps et on a fait un stage ensemble en deuxième année. On évolue dans des cercles professionnels différents, mais on se croise parfois à une première ou à un lancement.

Tout le monde s'exclame sur les miracles du hasard et Maude est priée de donner des nouvelles de son frère.

— En ce moment, il travaille à une série sur les immigrants installés en région. Il circule un peu partout au Québec.

— Et son petit Samuel, ça fait longtemps que je ne l'ai pas vu, dit Anna. Combien de temps, déjà ? La dernière fois, c'était au printemps, il me semble. Il a dû beaucoup grandir. Tu n'aurais pas une photo, par hasard ?

— Mais si, bien sûr, matante Maude a toujours une photo récente de son adorable neveu.

Elle sort son téléphone de son sac, le manipule quelques secondes, puis le passe à sa voisine qui le fait circuler.

— Il a quatre ans, précise-t-elle à l'intention de Claire.

C'est un charmant garçon menu et élancé, au visage clair et aux cheveux roux. Il ressemble de manière étonnante à Coralie Gassier, la conjointe de Julien, une flamboyante comédienne qui mène une belle carrière au théâtre. Si l'enfant n'a pas hérité des cheveux noirs et de la peau mate de son père, il aura probablement le même type de corps grand et mince.

Les pensées de Claire reviennent à Beaulieu. Elle songe à la courte liste fournie par le maire et se dit qu'elle pourrait avoir une occasion de l'allonger un peu. Lorsque ses voisines de table ont épuisé le sujet de Samuel, elle leur demande si elles ont connu le peintre.

— Nous étions bien trop jeunes, minaude l'épouse du médecin.

— N'exagère pas, intervient son époux. Quand il est mort, nous étions déjà mariés.

— Mais on ne le fréquentait pas, se défend-elle, pincée.

Claire veut savoir ce qui se disait de lui au village.

— Tout le monde le considérait comme un vieux fou, décrète Anna.

Décidément, sa réputation était bien établie.

— Il ne voyait personne et ne parlait à personne. Chaque semaine, l'épicier lui déposait ses marchandises sur la galerie avec la facture. Toujours la même chose. La fois suivante, il trouvait le paiement.

— C'est ainsi qu'on a appris son décès, ajoute la conjointe du notaire : l'épicier a découvert que sa dernière livraison n'avait pas bougé.

— Il était mort depuis plusieurs jours et ce n'était pas joli à voir, glisse la femme du docteur.

Son mari intervient de nouveau pour préciser que ces détails ne sont pas de mise à table, mais il est trop tard : les images se sont déjà formées dans l'esprit des convives. Pour dissiper le malaise, le maire lance la conversation sur un sujet qui les rend intarissables : la démolition de l'hôpital de Baie-Saint-Paul. Claire se promet d'ajouter le médecin à sa liste dans l'espoir qu'il ait connu le peintre un peu mieux que ne le pense monsieur Létourneau.

:::

Le lendemain, en se rendant à la maison d'Isidore Beaulieu, Claire songe à ce qu'elle a appris la veille : peu de choses, si ce n'est la fin sordide d'Isidore Beaulieu. Elle imagine l'arrivée de l'épicier. L'homme s'avance jusqu'à la maison avec son véhicule, découvre le carton sur la galerie et des déchets épars sur le terrain. Les conserves n'ont pas bougé, mais les matières périssables ont attiré des animaux qui sont venus s'emparer de la viande, du pain, des légumes. Tout cela éparpillé, abandonné à moitié rongé. L'homme a-t-il pénétré dans la maison ou a-t-il été effrayé à l'idée de ce qu'il risquait d'y trouver ? Il est peut-être allé chercher le médecin. À ce moment-là, les téléphones cellulaires n'existaient pas pour appeler du secours. Non, il a dû entrer : il ne pouvait pas être certain de la mort de son client et aura voulu l'aider s'il était seulement malade. Mais il était mort, et depuis plusieurs jours. Le médecin, qui à l'époque avait cédé à la curiosité de sa femme, lui avait décrit la scène, et la veille au soir, elle brûlait de la leur raconter à son tour. Heureusement que la vigilance de son mari leur a permis d'y échapper.

Avant que les arbres ne poussent exagérément, le bureau d'Isidore Beaulieu devait être plaisant et lumineux ; maintenant, il faut allumer la lampe à n'importe quelle heure du jour. Les piles de papiers sont posées sur le plancher, en petits tas. Lorsqu'elle ira en ville, elle achètera des chemises : puisqu'elle prend la peine de faire ce classement, autant que ce soit utilisable par la suite. Si le musée voit le jour, il est probable que quelqu'un se chargera d'écrire une notice biographique et cela lui servira. Pour le moment, elle n'a rien trouvé d'intéressant, à part peut-être un reçu mensuel de la *Résidence des Cèdres* à La Malbaie. Le montant est assez élevé pour être celui d'une pension. Claire suppose qu'il s'agit d'un des vieux parents du peintre placé dans une petite ville assez proche pour que celui-ci puisse lui rendre visite. Il faudra poser la question au maire. Tous les papiers de ces tiroirs concernent les dernières années de la vie de Beaulieu. Cette manie de tout garder n'a pas dû lui venir sur le tard. Il y a vraisemblablement ailleurs des papiers plus anciens. Lasse d'éplucher des factures, Claire commence l'exploration du cartonnier auquel elle n'a pas encore touché, découragée à la perspective du fatras qui l'attendait. Comme prévu, les tiroirs sont bourrés jusqu'à la gueule. Après avoir un peu fouillé dans celui du haut, elle découvre une enveloppe sur laquelle l'adresse est rédigée d'une écriture élégante, à l'encre violette très pâle. Le tampon de la poste indique : 12 janvier 1953. Elle en sort une lettre. L'en-tête dit *Mon cher amour* et c'est signé *Votre Adeline affectionnée*. L'émotion fait trembler les mains de Claire ; c'est la première trace qu'elle trouve de la jeune femme. Trop émue pour la lire tout de suite, elle la remet dans l'enveloppe et la pose sur le bureau. Ce sera pour l'après-midi, après qu'elle s'y sera préparée.

Elle a besoin de bouger pour évacuer l'émotion causée par la découverte de la lettre et devance l'heure de la promenade. En marchant sur la berge, elle pense à cette missive écrite il y a si longtemps, qu'elle a laissée dans la maison inhabitée. Elle va la lire, elle n'a pas le choix, il le faut et elle le veut, mais elle a le sentiment de se préparer à commettre une profanation. Si ce n'est dans cette lettre, ce sera dans une autre, ou bien dans un journal, ou Dieu sait où, mais le secret d'Adeline Monié va lui être révélé et elle ne peut se débarrasser de l'idée que cela ne la regarde pas.

D'un bref aboiement, Elfie lui reproche d'oublier de lancer son jouet. Elle se prête un moment à ce jeu dont la chienne ne se lasse jamais. Un grand héron, que l'immobilité de l'affût l'avait empêchée de remarquer, s'envole puissamment, un éclair argenté en travers du bec. Il disparaît sur l'autre rive. Aujourd'hui, le fleuve est transparent et l'eau paraît très pure. Claire se demande ce que l'on ressent à nager dans le courant. Est-ce exaltant ou cela donne-t-il un sentiment de vulnérabilité ? Elle trempe la main dans l'eau pour tester la température et grimace : elle ne répondra pas à la question cet automne. La chienne, arrêtée en chemin, flaire une chose que Claire ne distingue pas encore. Pressentant ce qui va se produire, elle accélère, mais il est trop tard : avec une volupté infinie, Elfie se roule sur un cadavre de goéland qui, à en juger par l'odeur, n'est pas frais du jour. Claire repousse la chienne du pied pour avoir accès à l'oiseau mort qu'elle envoie dans le fleuve à l'aide d'une branche. Pas écologique sans doute, mais si elle l'avait laissé là, demain, il aurait senti encore plus fort et le plaisir de se rouler dessus en aurait été accru. Elfie le regarde disparaître avec regret, puis l'oublie et prétend continuer la promenade, mais Claire l'écourte parce que la chienne est si imprégnée de l'odeur de putréfaction que c'est insupportable. Arrivée à la maison, elle l'empêche d'entrer pour éviter qu'elle n'aille droit à son sofa de prédilection. Elle lui prépare un bain, puis retourne la chercher en la tenant de près pour la conduire directement à la baignoire. Elfie a horreur d'être lavée, mais ne proteste pas. Elle tremble de tout son corps en la regardant de ses yeux humides qui semblent supplier qu'elle l'épargne. Claire lui parle pour la calmer, mais ne se laisse pas attendrir. Il est exclu qu'elle cohabite avec cette pestilence. Quand Elfie ne sent plus que le chien mouillé, ce qui paraît agréable à Claire en comparaison de ce qu'elle vient de subir, elle l'éponge, puis la met dehors afin qu'elle finisse de sécher. L'odeur du shampoing déplaît à Elfie, qui n'a rien de plus pressé que de se rouler dans l'herbe. Pourvu qu'elle ne trouve pas une nouvelle charogne ! Claire nettoie la baignoire avant de se laver à son tour, mais elle a beau frotter, il persiste dans la pièce une légère odeur de cadavre dont elle ne parvient à se débarrasser qu'avec la chandelle parfumée qu'elle a trouvée sur une étagère de la lingerie. Il est maintenant trop tard pour retourner à la maison voisine, et ce répit ne lui déplaît pas.

::

Au matin, elle est décidée à lire la lettre d'Adeline Monié, même si le sentiment qui l'a retenue la veille ne l'a pas tout à fait quittée. N'ayant pas envie d'en prendre connaissance dans le bureau rendu sinistre par le manque de lumière, elle s'assoit dehors, sur les marches de la galerie.

La jeune femme écrit de Québec. *Mon cher amour, le médecin a énoncé son verdict : si je veux le garder, il faut que je reste allongée jusqu'à la fin. Et aussi, ce qui me désole bien plus que l'immobilité forcée, je dois demeurer ici, à proximité de l'hôpital. D'après lui, la dernière fois, s'il avait pu intervenir tout de suite, il aurait eu des chances de le sauver. Cette séparation va être une terrible épreuve. Je ne vous demande pas de venir, je suis consciente que c'est impossible : la maison de mes parents est trop petite pour que vous puissiez y peindre et, surtout, vous ne vous entendez pas avec eux. Ne protestez pas, je le sais. L'arrogance de mon père, qui place ses fonctions de juriste tellement plus haut que votre mission d'artiste, est insupportable. Écrivez-moi souvent, je vous en prie, pour adoucir mon exil. Votre Adeline affectionnée.*

La jeune femme du tableau était donc enceinte lorsqu'elle a rédigé cette missive. Et ce n'était pas la première fois : elle avait déjà subi au moins une fausse couche. Claire a envie de savoir si en 1953 cela s'est bien terminé. Il doit y avoir d'autres lettres dans le tiroir. Elle remue les papiers sans succès et décide de le vider sur le sol. À genoux, elle trie le contenu et en trouve trois dont elle prend connaissance par ordre chronologique. La première donne de bonnes nouvelles : la jeune femme s'ennuie seulement de son mari. La deuxième fait état de douleurs au ventre, mais elle se force à l'optimisme : *Je serai encore plus attentive et bougerai encore moins. Je vous promets que cet enfant, nous l'aurons.* La dernière annonce son retour pour la semaine suivante : *Tout risque d'hémorragie est maintenant écarté. Je vais pouvoir rentrer faire mon deuil à la maison.*

Claire se demande si Adeline Monié a réussi à porter un enfant à terme, mais la galerie de portraits du corridor lui fait craindre que la réponse ne soit là, dans cette succession de visages toujours plus sombres. D'habitude, elle passe sans s'attarder à cause du malaise que lui procurent ces tableaux déclinant la souffrance morale dans toutes ses nuances, mais après avoir appris quelle histoire ils racontent, elle puise en elle la force de s'arrêter devant chacun. Elle le fait avec respect et émotion, comme on se recueille dans un cimetière.

Son regard attentif la conduit à une nouvelle découverte qui bouleverse tout ce qu'elle croyait savoir : sur les dernières peintures, celles où l'espoir a quitté Adeline Monié, il y a d'autres différences que l'expression de son visage. Ce n'est plus cette maison qui est peinte, mais une qui lui ressemble. L'épouse du peintre n'est plus ici. Elle est bien sur une galerie, au bord du fleuve, mais ailleurs et, de toile en toile, elle vieillit. Elle n'est donc pas morte jeune, comme Claire en était persuadée. Après avoir pris connaissance des lettres, elle était même prête à penser que c'était en couches, mais sur la dernière toile, la femme a passé l'âge d'enfanter. A-t-elle imaginé qu'Adeline Monié était morte jeune ? Sinon, d'où tient-elle cette information erronée ? Il faut qu'elle aille voir le maire : elle a une foule de choses à lui demander. Entre autres, s'il reste des membres de la famille Monié à Québec. Sans doute que non, sinon il le lui aurait dit, mais elle va tout de même poser la question. Elle irait bien tout de suite tant elle a hâte d'en savoir davantage, mais il vaut sans doute mieux attendre la fin de l'après-midi, car il est possible qu'après le repas il fasse une sieste.

Demain, elle ira à Québec. Comme elle n'a plus rien à lire et doit impérativement s'approvisionner, au lieu d'aller à La Malbaie, elle couplera ses achats avec une incursion à l'adresse de Louis Rochette, le fidèle ami de Beaulieu qu'elle a essayé d'appeler sans plus de succès que monsieur Létourneau. Sur place, elle apprendra peut-être quelque chose de ses voisins ou des commerçants situés à proximité. En tant qu'ami du peintre, c'est lui qui doit en savoir le plus et elle espère le retrouver. Elle en profitera pour flâner sur la Grande Allée : après toutes ces heures plongée dans un passé douloureux, elle a besoin de côtoyer des gens vivants, de se frotter au dynamisme de la ville. Elle pourrait aussi revoir la collection d'art inuit du Musée des beaux-arts. Le jour où elle l'a visitée, c'était au pas de course parce que Jean-Louis avait hâte de rentrer à Montréal. S'ils avaient programmé la visite en partant en vacances au lieu de la faire au retour, ils auraient pu y rester un peu plus. Quoique… Elle le voit encore l'attendre près de la porte, le visage fermé. Il ne lui avait adressé aucun reproche, mais son attitude était facile à décrypter. Les musées, ce n'est pas vraiment pour lui : il en fait le tour au pas de charge, sans avoir la patience de s'arrêter à chaque œuvre. Demain, elle y restera autant qu'elle le souhaite et s'en réjouit déjà.

Pour que le temps qui la sépare de sa visite à monsieur Létourneau passe plus vite, elle descend marcher le long du fleuve. Prise par ses pensées, elle ne voit les signes d'orage que lorsqu'il est tout proche. Le fleuve est inquiétant avec ses eaux noires qui roulent avec force. Elle sort sa caméra pour tourner quelques images avant de retourner à l'abri de la maison. Elfie ne se fait pas prier.

L'orage gronde interminablement avant d'éclater dans la soirée. Depuis la fin de l'après-midi, toute vie est suspendue. L'érable semble déserté. Pas de cavalcades ni de pépiements. La chienne rôde autour de sa maîtresse comme une âme en peine. Au premier coup de tonnerre, qui surprend Claire dans le fauteuil du bureau en train de lire les dernières pages de son roman, Elfie saute sur ses genoux en gémissant. Le tonnerre la perturbe, même si cela fait des heures qu'elle l'attend, et plus encore le choc des vingt kilos de la chienne qui lui coupe le souffle. Elfie est terrorisée et Claire s'efforce de la rassurer sans grand succès. Il pleut bientôt très fort et les coups de tonnerre se succèdent. Elfie tremble de tout son corps. La fréquence des éclairs s'accélère. Soudain, le tonnerre éclate juste au-dessus de leur tête. La maison est au cœur de l'orage. Claire est gagnée par la peur, même si elle essaie de se convaincre qu'une habitation aussi isolée doit être pourvue d'un paratonnerre. Mais sa frayeur est sans commune mesure avec celle de la chienne, qui a même uriné sur elle lors d'un coup plus fort que les autres, et dont elle ne parvient pas à se défaire pour aller se laver et se changer. À quelques dizaines de mètres de la maison, le pylône qui est au bord du chemin s'embrase : la foudre est tombée dessus, les privant d'électricité, ce qui plonge Claire dans un effroi lui ôtant la faculté de penser. Afin de ne plus entendre le vent qui s'acharne, les yeux fermés pour nier l'obscurité qui les cerne, Elfie bien serrée dans ses bras, elle chantonne la berceuse avec laquelle sa mère l'endormait enfant, qu'elle avait oubliée et qui lui est revenue du fond de sa terreur. *Duerme, duerme, negrito, que tu mamá está en el campo, negrito…* L'orage dure des heures et ne s'estompe progressivement que lorsque l'aube paraît. Elfie s'endort. Claire la pose délicatement dans le fauteuil et file se laver. Par bonheur, l'eau de la douche est encore chaude. Mais sans électricité, il est impossible de faire un café, et elle doit se contenter d'un verre de jus. Épuisée, elle se met au lit.

Lorsque la chienne la réveille parce qu'elle a besoin de sortir, c'est le début de l'après-midi. Le soleil a eu le temps de sécher la végétation pendant que toutes deux récupéraient de leur nuit difficile. L'électricité n'est toujours pas revenue, le café lui manque. Elle prépare un sandwich qu'elle mange debout, sur la terrasse, car la table et la chaise de jardin sont encore mouillées. Le terrain est parsemé de brindilles et de quelques branches moyennes que le vent a brisées. Les feuilles hachées autour de l'érable prouvent qu'il a grêlé. Inutile de se rendre dans la maison voisine, où elle ne pourrait pas travailler : si elle n'a pas d'électricité, il n'y en aura pas là non plus. Après toutes les émotions de la nuit, une activité physique lui fera du bien. Elle trouve des outils dans l'appentis où elle n'était pas encore entrée et passe l'après-midi à ratisser et ramasser les débris.

Pourquoi sa mère lui chantait-elle une berceuse en espagnol ? Une langue qu'elle ne parle pas et lit à peine. Dans ses vieux disques, elle en avait deux versions : une de Mercedes Sosa, magnifique, et une d'Atahualpa Yupanqui, dont Claire croit se souvenir qu'il en est l'auteur. Il faudra qu'elle demande à Diane si elle les a encore, mais sans faire allusion à l'orage, car sa mère serait persuadée qu'elle est en danger, s'inquiéterait et tenterait de la convaincre de rentrer à Montréal. Ce qu'elle ne veut plus.

Lorsqu'elle a terminé le nettoyage du terrain, l'électricité n'est toujours pas revenue. Elle fouille tiroirs et placards dans l'espoir de trouver des chandelles. La nuit dernière, elle aurait sans doute été moins effrayée si elle avait pu en allumer une, mais elle ne se souvenait pas d'en avoir vu d'autres que celle qu'elle a utilisée pour lutter contre l'odeur de charogne, et la maison était bien trop sombre pour chercher au hasard. Dans le garde-manger, elle en découvre plusieurs, ainsi que des allumettes, et les place dans des endroits stratégiques : cuisine, salle de bains, chambre. Cela commence d'être agaçant de ne pas pouvoir préparer une boisson ou un plat chaud, mais il y a pire, comme elle s'en aperçoit peu après sous la douche qui se rafraîchit progressivement pour devenir glaciale : le chauffe-eau est vide. Elle ne traîne pas et se bouchonne pour se réchauffer, puis se verse un verre de vin blanc qui, par contre, est tiédasse. Le contenu du frigo est à jeter. Elle soupe avec une tartine de confiture, sans les nouvelles. La soirée est sinistre.

Pour couronner le tout, son iPod est déchargé. Pourvu qu'Hydro ne tarde pas à réparer! Il lui vient soudain une crainte: les deux maisons sont tellement isolées que cette ligne n'en dessert peut-être pas d'autres. Elle doit vérifier si la panne a été signalée. Avant tout, appeler les Bolduc, qui sont bien placés pour être informés. Nouvelle déconvenue: le téléphone est coupé. Sans lumière et sans téléphone, elle se sent seule au monde. Elle pourrait se rendre en voiture jusqu'au dépanneur, mais la perspective de retrouver ensuite une maison toute noire l'effraie. Elle ira demain. Non. Demain, si l'électricité n'est pas revenue, elle retourne à Montréal. Elle verrouille et vérifie toutes les ouvertures, comme elle le faisait à son arrivée, avant de se trouver à l'aise et en sécurité dans cette maison qu'elle ne reconnaît plus à la lueur des chandelles. Elle doit vite se rendre à l'évidence: en plus de laisser dans l'ombre des recoins inquiétants, c'est insuffisant pour lire. Ne sachant que faire, elle se met au lit. Elle n'a pas sommeil. Les craquements de la charpente, auxquels elle avait cessé de prêter attention, deviennent omniprésents. Elfie, que la situation déstabilise — à moins que ce ne soit l'agitation de sa maîtresse —, vient tout contre elle, ce qui la réconforte un peu. Elle n'ose pas imaginer ce qu'elle ressentirait sans la chienne.

Curieuse sensation que de ne pas pouvoir agir. D'ordinaire, les pensées s'enchaînent naturellement, mais là, rien ne se passe. Elle essaie de se forcer: *À quoi pourrais-je penser? À mon documentaire? À Isidore Beaulieu et à cette jeune femme malheureuse qui a été sa compagne?* Mais cela ne vient pas. Pas d'images, pas d'idées. Un vide qui l'angoisse. Pour le combler et repousser le silence, elle pourrait parler. Mais de quoi? Et à la perspective de radoter comme une vieille femme, elle se sent ridicule. Pourtant, le ridicule, c'est d'être gênée de parler seule alors qu'il n'y a pas âme qui vive, mais bon, c'est ainsi, et elle n'est pas en état d'être rationnelle. Elle essaie de chanter pour découvrir qu'elle connaît seulement des refrains ou quelques paroles, ce qui ne la mène pas loin.

Puis il lui revient des bribes d'une pièce de théâtre jouée avec Florence lors de leur première année de secondaire. Une pièce de Molière, *Les fourberies de Scapin*. *Voici mon aimable Hyacinthe.* / *Ah! Octave, est-il vrai ce que Sylvestre vient de dire à Nérine que votre père est de retour et qu'il veut nous marier?*

Les répétitions se passaient à l'église voisine de l'école, dont le sous-sol était pourvu d'une scène. C'était également là qu'avait eu lieu la représentation devant les familles. Les parents de Florence et les siens avaient fait connaissance à cette occasion. Assis côte à côte, fiers de leurs filles, ils applaudissaient de toutes leurs forces. Elles n'étaient pourtant pas les vedettes du spectacle : c'était Julie Desbiens qui jouait Scapin, une blonde fadasse dont le jeu était aussi terne que la chevelure. Mais ses bonnes notes faisaient d'elle la préférée de la prof de français, qui était metteure en scène mais aussi conseillère en costumes — que les mères avaient fabriqués —, maquilleuse, éclairagiste, etc. Elle avait même probablement aidé à installer les chaises avant la représentation et à les ranger après. Faute de garçons, qui se seraient crus déshonorés de jouer avec elles, tous les rôles étaient assurés par des filles. Florence était Octave et Claire, Hyacinthe. Elles avaient passé des heures chez l'une ou chez l'autre à répéter ensemble, à en rendre folles leurs mères qui leur criaient de fermer la porte et forçaient le son de la radio pour couvrir leurs beuglements. *Le ciel nous sera favorable.* / *Il ne saurait m'être contraire si vous m'êtes fidèle.* / *Je le serai assurément.* / *Je serai donc heureuse.* C'est depuis *Les fourberies de Scapin* qu'elles sont amies. Elles avaient tellement aimé se costumer, monter sur scène, entendre les applaudissements que, par la suite, chaque année, elles s'étaient inscrites à l'activité théâtre. Plus tard, les garçons, qui y voyaient un moyen de rencontrer des filles, avaient cessé de bouder la scène et elles n'avaient plus eu que rarement des rôles masculins. Elles avaient persisté jusqu'à l'université. Ces dernières années, il ne s'est pas joué grand-chose d'intéressant à Montréal qu'ils aient raté, Florence, Marc, Jean-Louis et elle-même, avant que le projet du Mali, le plus important qui leur ait été confié, n'accapare toutes leurs énergies. Elle a continué un temps d'y aller seule, mais elle n'avait personne pour parler de la pièce après et a fini par arrêter. À son retour, il faudra qu'elle entraîne de nouveau Jean-Louis au théâtre.

Il lui manque. Elle voudrait qu'il soit là. Ils auraient un véritable échange. Au téléphone, la complicité ne passe pas. Jean-Louis lui consacrerait toute son attention pour l'écouter parler de Beaulieu. Il lui poserait des questions, ces questions venues de quelqu'un d'extérieur au métier qui souvent font avancer les choses. S'ils étaient ensemble, il lui raconterait son nouveau projet, en détail, avec enthousiasme. Puis ils feraient l'amour. Ils concevraient peut-être le bébé. Il y a des pointes dans les courbes de naissances neuf mois après les longues pannes d'électricité. Son nouveau projet l'intrigue. Lors de leur précédente conversation, il était encore question du Mali. Elle aurait cru qu'il continuerait de leur donner son appui depuis le Québec. Mais cela ne doit pas être suffisant pour lui. Il est incapable de se poser une soirée complète ; il a besoin d'une réunion ou d'une activité quelconque pour s'occuper. Quand il y aura le bébé, il faudra bien qu'il reste à la maison. Mais elle n'a pas d'inquiétude à ce sujet : il le fera, il assume toujours ses responsabilités.

Elle s'est endormie sans s'en apercevoir et, au matin, toutes les lumières sont allumées. Ouf! Elle vérifie le téléphone : toujours mort. Mais ce n'est pas grave, puisque de toute façon Jean-Louis est impossible à joindre. Les denrées périssables à la poubelle, elle part chez le dépanneur. À son arrivée, deux commères discourent au sujet de l'orage. Madame Bolduc, qui doit reprendre son couplet à chaque nouveau client, l'informe que sa nourriture réfrigérée n'a pas souffert.

— Après la crise du verglas, on a équipé le magasin d'un groupe électrogène qui se met en marche automatiquement en cas de panne.

— Vous avez eu du verglas ? s'étonne Claire. Il me semble que ça s'arrêtait bien au sud de Charlevoix.

— Vous avez raison, on n'en a pas eu, mais on a vu les images à la télévision. C'était épeurant. Et on a pensé que ça pouvait nous arriver à nous aussi.

Les clientes, qui n'ont pas de groupe électrogène, détaillent amèrement leurs pertes. Puis elles commentent la catastrophe que Claire ne connaît pas encore faute d'avoir lu le journal : trois personnes ont été frappées par la foudre et sont hospitalisées. Les bavardes ne savent rien de plus, mais développent longuement. Quand Claire réussit à placer sa panne téléphonique, elle découvre qu'elle est la seule à en être affectée. Elles lui prédisent une longue attente avant la remise en service.

— Nous, en région, on passe toujours après tout le monde.

Madame Bolduc lui propose obligeamment d'utiliser son appareil si elle a quelqu'un à avertir. Comme son cellulaire est déchargé — elle l'a vérifié en arrivant devant le magasin —, elle accepte l'offre de la commerçante et laisse un message à Jean-Louis. Afin de ne pas abuser du téléphone, elle le charge de transmettre l'information à sa mère. La commerçante lui offre un café, mais il semble cuit et recuit et elle décline. Elle avait d'abord pensé se rendre chez le maire, mais elle est encore fatiguée et préfère rentrer à la maison.

Se souvenant qu'elle a filmé quelques minutes sur la grève avant le début de l'orage, elle s'installe pour les visionner. Elle ne s'attendait pas à ce qu'elle découvre : sous le ciel très sombre, les épinettes sont d'un noir bleuté qui rappelle de façon troublante celles des derniers tableaux de Beaulieu. Elle voudrait penser que c'est une chance, une sorte de petit miracle, mais ces images dégagent une telle impression de menace qu'elle n'est pas sûre d'avoir envie de les utiliser.

::

Avec le journal, elle a la surprise de trouver une lettre de Jean-Louis. C'est bien son écriture, heurtée et à peine lisible, qu'elle n'avait jamais vue sur une enveloppe à son nom. Dix ans qu'ils sont ensemble, et c'est la première fois qu'il lui écrit. Pour une bonne raison : ils ne se sont jamais quittés. Elle est intriguée, un peu émue, un peu inquiète. Pourquoi une lettre, si ce n'est pour lui dire ce qu'il ne parvient pas à exprimer verbalement ? A-t-il écrit qu'elle lui manque ? qu'il est prêt, comme elle, à avoir un enfant ? Ou tout simplement qu'il l'aime ? Il y a longtemps qu'il ne le lui a pas dit. Avant, c'était *je t'aime je t'aime je t'aime*. Il a peut-être ressenti son départ et son absence comme autrefois les femmes qui voyaient leur homme s'en aller au chantier. *Si tu savais comme on s'ennuie...*

À moins que ce ne soit tout autre chose, qui peut-être la fera souffrir. La tristesse de ses découvertes dans les missives d'Adeline Monié a laissé des traces, et elle éprouve, à la vue de cette enveloppe inattendue, une sorte d'angoisse qui la pousse à retarder le moment de la lire. La lettre est posée à côté de son assiette. Elle l'ouvrira après le repas, en buvant son café. Tant qu'elle est cachetée, tout reste possible.

Le journal lui apprend que des orages d'une rare violence et des pluies abondantes ont frappé le secteur où elle habite. Les victimes sont deux enfants de quatre et six ans et la mère de l'un deux. Les enfants seraient dans un état critique et l'adulte dans un état stable. Que signifie stable ? Stable hors de danger ? Stable grave ? Stable couci-couça ?

Elle ouvre finalement la lettre de Jean-Louis. Il n'y a qu'un feuillet, qu'elle déplie. Pas d'en-tête, pas de *je t'aime* à la fin. Des mots, des tas de mots qu'elle parcourt sans les comprendre. Ce n'est pas la calligraphie : elle est imprimée. C'est le sens qui ne l'atteint pas. Elle lit, et elle relit, et tombe dans un trou noir.

: :

Le téléphone la fait sursauter. Jean-Louis. Elle se précipite dans le corridor. Sa tête tourne un peu. Elle décroche. C'est sa mère.

— Que se passe-t-il ? Il y a des jours que j'essaie de t'appeler, et chez vous, je tombe toujours sur le répondeur : Jean-Louis n'est jamais là. Pourquoi ne téléphones-tu pas ?

— Il y a eu un orage. La ligne était coupée, j'ignorais qu'elle était rétablie.

— Tu as une drôle de voix. Qu'est-ce qui ne va pas ?

— Tout va bien, je t'assure. J'étais en train de travailler.

— À cette heure-ci ?

— Oui. Ça avance bien.

— Quand même, tu as vraiment une voix bizarre.

— C'est parce que je n'ai pas parlé depuis un moment.

— Tu en es bien sûre ? Si quelque chose n'allait pas, tu me le dirais, n'est-ce pas ?

— Évidemment.

— Bon, puisque ça va, je te laisse. Ton père m'appelle : *Tout le monde en parle* est sur le point de commencer. Téléphone de temps en temps, tu sais que je m'inquiète.

— Promis.

Claire se dirige vers l'évier pour prendre un verre d'eau. *Tout le monde en parle* ? Ils sont fous ! C'est le dimanche, pas le samedi. Elfie vient quêter une caresse. Ses plats sont vides, elle les garnit. Sur la table de la cuisine, une assiette sale, une tasse, une lettre. Elle va dans le salon en faisant un crochet pour passer le plus loin possible de la table, comme si un crotale y avait installé son nid. La télé lui confirme que l'émission de ce soir est bien *Tout le monde en parle*. Ce ne sont pas ses parents qui sont fous, c'est elle. Depuis qu'elle s'est effondrée la veille, elle est restée dans un état catatonique. Apparemment, elle a continué de nourrir la chienne, qui n'a pas l'air plus affamée que d'habitude. Par contre, elle-même n'a pas mangé. Son corps est moite, elle est étourdie. Elle se dirige vers la chambre en se tenant aux murs. Elle ne veut pas manger, elle veut mourir. En passant devant le téléphone, prise d'une impulsion, elle décroche et compose le numéro de l'appartement. Il va lui répondre. Tout cela n'est qu'un cauchemar. Ça sonne. Une fois. Deux fois — s'il regarde la télé, il lui faut le temps de se lever. Trois fois — il est peut-être dans la salle de bains. Quatre fois — plutôt en réunion. Cinq fois. Le petit déclic annonce le répondeur. Elle sait qu'elle doit raccrocher avant, mais elle est paralysée. Et puis sa voix. Comme un coup de poignard. Elle l'écoute jusqu'au bout. *Vous êtes bien chez Claire et Jean-Louis. Nous sommes dans l'impossibilité de vous répondre. Laissez un message. On vous rappellera dès que possible.* Elle titube jusqu'à la chambre et se laisse tomber sur le lit.

::

Une sensation désagréable la réveille : c'est la langue d'Elfie sur son visage. Elle essaie de la chasser, mais la chienne insiste et elle finit par se lever et se traîner jusqu'à la porte. Affalée sur les marches de la galerie, Claire regarde Elfie foncer vers l'érable pour signifier aux écureuils qu'ils n'ont pas intérêt à se mettre à sa portée. Puis la chienne vient quêter une caresse, retourne poursuivre les goélands et revient chaque fois lécher sa main avant de repartir. Le manège dure longtemps, mais elle finit par se lasser et reste plantée en émettant un petit gémissement. L'inertie de sa maîtresse l'incite à rendre la mimique plus explicite : elle fait des allées et venues entre la terrasse et la cuisine. Il est évident qu'elle a faim, seulement Claire n'a pas la force de bouger. Le soleil l'engourdit, il suffirait qu'elle ferme les yeux pour s'endormir. Elfie se résigne et la laisse en paix.

Quand Claire prend conscience d'un aboiement énergique et continu, du temps a passé, comme le prouve l'ombre de l'érable. La chienne jappe en direction d'un homme en uniforme : c'est le facteur qui s'approche, des journaux à la main. Claire se lève pour l'accueillir et doit s'accrocher à la balustrade pour ne pas tomber. Il lui explique qu'ayant découvert les deux derniers journaux dans la boîte aux lettres, il vient vérifier si elle va bien. Surveiller les habitants des maisons isolées est un rôle qu'il s'est attribué. Ainsi, il lui est arrivé de sauver des gens en donnant l'alerte à temps. Il la trouve pâle. Elle lui dit qu'elle a été malade, mais qu'elle est remise, et lui affirme que d'ici quelques jours elle ira tout à fait bien. Il la quitte en l'assurant qu'*il garde un œil*. Elle remplit les plats de la chienne. L'odeur de la nourriture l'écœure.

Mourir de faim prend du temps et le facteur veille. Elle aurait dû lui dire qu'elle allait s'absenter. Mais il y a la chienne. Pour pouvoir disposer d'elle-même, elle doit s'organiser. Que faire d'Elfie ? Madame Bolduc, qui s'extasie devant elle, accepterait peut-être de la garder. Elle prétendrait être appelée quelque part pour une semaine. Elle trouverait bien une excuse. La commerçante suspendrait l'envoi du journal, ce qui la débarrasserait du facteur. C'est une bonne solution. Mais elle n'est pas en état de conduire jusqu'au village. Avant, il lui faut reprendre des forces. Le contenu du frigo lui donne la nausée : le lait a tourné, le pain est moisi, les légumes sont ratatinés. Décongeler quelque chose demanderait du temps. De toute façon, elle n'en a pas envie. Elle grignote un flocon d'avoine. Il est trop sec pour qu'elle arrive à l'avaler. Elle en mélange une poignée avec de l'eau puis fait une nouvelle tentative. La bouchée glisse, mais quand elle aboutit dans l'estomac, Claire a un haut-le-cœur et la crache dans l'évier. Il est pourtant nécessaire de manger si elle ne veut pas se retrouver à l'hôpital avec une perfusion dans le bras et sa mère à son chevet. Elle en prend une autre cuillerée, minuscule, la mâche longuement, avale et parvient à la garder. Il lui faut un temps infini pour vider le bol. Cet effort l'a anéantie. Elle retourne au lit.

Elle a dormi de nouveau. Elle est moins faible, mais la griffe qui déchire le creux de son corps demeure bien présente. Le moindre mouvement un peu brusque l'étourdit, elle n'est toujours pas assez forte pour conduire. Les céréales passent mieux que tout à l'heure. Elle reste des heures assise à son bureau, immobile. La chienne vient la chercher pour sa promenade. Claire ne bouge pas. À mesure qu'approche l'heure d'appeler Jean-Louis, elle devient fébrile. Il ne faut pas. Il n'est pas là. Il ne sera plus jamais là. Elle est devant le téléphone, sa main s'avance vers l'appareil, elle compose le numéro. Cinq sonneries. Le déclic. Sa voix. Le poignard. Elle crie à s'en déchirer les cordes vocales, puis s'effondre, en tas, au pied du téléphone.

::

Jour après jour, sommeil, céréales, ouverture et fermeture de la porte pour la chienne, journal, qu'elle pose sur le guéridon de l'entrée. Et puis chaque soir, comme si en appelant à l'heure habituelle elle allait abolir son absence, le téléphone, le répondeur, le déchirement.

Elle dort quelques heures et se réveille avant la douleur. Un instant de grâce. Et puis la griffe, qui lui lacère le cœur et la gorge.

Elle n'a ni la force ni le courage d'aller chez le dépanneur, de parler à madame Bolduc. Tant qu'il y a de la nourriture pour la chienne et des céréales…

Elle passe les journées à son bureau, qui n'est plus une table de travail, juste un support pour les coudes. La tête dans les mains, elle fixe le fleuve sans le voir, Elfie couchée à ses pieds. Elle attend l'heure.

:::

Le téléphone sonne.
Son cœur bondit.
C'est sa mère.
— Tu ne m'appelles jamais. Pourtant, tu me l'as promis.
Elle s'exhorte à maîtriser sa voix. À paraître normale.
— Je n'ai pas eu le temps.
— Tu travailles toujours autant ?
— Oui. Mes recherches avancent.
— Tant mieux. Tu vois des gens ? Tu as des voisins ?
— L'unique maison à proximité est vide, c'est celle d'Isidore Beaulieu, mais je fais des rencontres pour mon film.
— Tu ne t'ennuies pas à vivre seule ?
— Pas du tout. C'est stimulant. Comme je ne pense qu'au documentaire, je n'ai pas de temps morts et j'ai déjà plein d'idées.
— Est-ce que tu vas avoir bientôt la visite de Jean-Louis ?
— Non.
NOOOOOOOOOOOOOON.
— Et nous, ça te ferait plaisir que nous venions te voir ?
— Surtout pas !
— Merci bien.
— Comprends ce que je veux dire, maman : je suis dans une atmosphère de travail, et si je m'interromps, ce sera trop long de m'y remettre.

Soupir.

— D'accord. Mais je trouve que ce n'est pas sain de quitter ton *chum* pendant deux mois.

— Ça ne changera rien.

Oh, que non !

— Si tu le dis…

Elle raccroche enfin. Cette conversation l'a vidée. Elfie réclame son repas. Sa nourriture s'épuise, il n'en reste que pour demain matin. La dernière boîte de céréales arrive aussi au fond. Elle ne pourra plus différer.

::

C'est l'heure. Elle va vers le téléphone, tend la main, la laisse retomber. Il faut qu'elle arrête, ça fait trop mal. Elle tourne en rond : le bureau, le salon, la chambre, la cuisine, et recommence. À chaque passage devant l'appareil, elle croise les doigts et serre les dents. Elle marche des heures, lui semble-t-il, en se répétant comme un mantra : *je ne dois pas l'appeler*, puis finit par craquer et s'effondre sous le coup de sa voix.

::

L'insomnie la bombarde d'images de mort.

::

Madame Bolduc s'exclame qu'elle est pâle et qu'elle a l'air malade. Qu'elle aurait dû l'appeler, elle lui serait venue en aide. Claire a pourtant pris soin de se coiffer et de se maquiller pour donner à ses joues un peu de couleur. Pitoyable effort. Elle est obligée de disserter sur le dérangement intestinal qui l'a empêchée de manger, ce qui explique bla bla bla…

— Il vous faut des choses nourrissantes pour vous retaper. Par exemple : bla bla bla… Moi, quand je suis malade, bla bla bla…

Sous son regard attentif et compatissant, Claire remplit machinalement le chariot de ce qu'elle a coutume d'y mettre. La commerçante caresse Elfie avec ses manifestations d'admiration excessives et Claire en profite pour lui glisser qu'elle va manquer une conférence importante faute de pouvoir laisser la chienne.

— Mais je vais vous la garder, moi, cette belle Elfie !

— C'est trop gentil, madame Bolduc.

Apparemment, c'est aussi l'avis de son mari, qui ne se mêle jamais aux conversations, mais dont elle intercepte le coup d'œil fâché.

— Dès que c'est décidé, appelez-moi.

Elle arrive en même temps que le facteur. Il lui tend le journal et s'enquiert de sa santé. Elle le rassure.

Les marchandises transférées de la voiture à la cuisine, elle fait chauffer de l'eau pour cuire des pâtes. À la seule vue des boîtes de céréales sur l'étagère du dépanneur, son estomac s'est contracté, ce qui la contraint à un changement de régime.

La reprise de contact avec d'autres humains a secoué son engourdissement et fait diversion, mais de retour à la solitude, la douleur, qui était tapie dans sa poitrine, la déchire comme une bête aux dents acérées. Elle a envie de se cogner la tête contre les murs, de s'arracher les cheveux, de hurler.

Il serait tellement simple de mourir d'un accident. Plus facile que de mourir de faim. Elle aurait pu, si le facteur n'était pas intervenu, mais maintenant qu'elle a recommencé de s'alimenter, elle n'en serait plus capable. Elle ne veut pas vivre non plus.

Elfie, qui semble percevoir sa détresse, vient se frotter à ses jambes. Claire se penche pour la caresser, change l'eau de son bol et avise le journal sur le comptoir. Elle le parcourt, le dos tourné à la table. *Six mois sans traversier entre Rivière-du-Loup et Saint-Siméon. Plus de 60 000 emplois liés à la forêt ont disparu. La toxoplasmose est une maladie courante principalement transmise par le contact avec des chats. Bénigne et indolore dans la plupart des cas, elle peut avoir des répercussions gravissimes pour l'enfant à naître lorsqu'elle est contractée pendant la grossesse.*

Elle ne sera pas enceinte.

Même s'il n'y a pas eu de promenades depuis plusieurs jours, Elfie continue de la réclamer à l'heure habituelle. Aujourd'hui, Claire cède. La chienne, folle de joie, rapporte inlassablement le morceau de bois flotté que sa maîtresse lui lance. Si elle tarde à le faire, reprise par son hébétude, Elfie la rappelle à l'ordre d'un aboiement impérieux. Claire alors se secoue et obtempère. Parvenue au renfoncement qui abritait le chevalet du peintre, elle se retourne et voit le tableau qu'elle connaît si bien : la maison sur le plateau et la jeune femme sur sa chaise. Elle est trop loin pour distinguer son expression. Est-elle enceinte et illuminée d'espoir ou en deuil d'un enfant qui ne naîtra pas ? Claire a envie de le savoir, de la réconforter si elle en a besoin. Elle fait demi-tour et Elfie la précède en haut des marches de pierre. Lorsqu'elle aperçoit de nouveau la maison, qui avait disparu de sa vue dans l'escalier, la jeune femme n'est plus là. Claire comprend avec effroi qu'elle a réellement cru à la présence de cette femme morte depuis si longtemps. Elle n'a jamais eu de visions auparavant, pourquoi en aurait-elle maintenant ? À cause de la solitude ? de la nourriture insuffisante ? du désespoir ? Elle est soudainement frappée par ce qui lui paraît une évidence : si elle a imaginé une femme sur une galerie, elle a tout aussi bien pu imaginer une lettre. Prise d'une impatience qui confine à la frénésie, elle se précipite vers la maison. Elfie, qui croit à un jeu, la précède en aboyant. La surface de galets se prête mal à la course ; inattentive aux obstacles, elle se tord la cheville et pousse un cri. La chienne revient vers elle, inquiète. La douleur est vive. Claire peine à reprendre son souffle et c'est en boitillant qu'elle finit son trajet. Avant d'ouvrir la porte, elle ferme les yeux et inspire profondément. Puis elle entre, prête à découvrir qu'il n'y a rien sur la table. Cette lettre n'existe pas ou, alors, si elle est bien réelle, elle concerne quelqu'un d'autre, Isidore Beaulieu, peut-être. Il l'a reçue d'Adeline Monié, et elle, Claire, n'a plus qu'à trouver un moyen de faire comprendre dans son documentaire à quel point ce fut douloureux.

Sur la table, une assiette sale, une tasse et une enveloppe portant l'écriture de Jean-Louis — crotale en position d'attaque. Claire la contourne, prend des glaçons pour sa cheville et se réfugie à sa table de travail.

Ou elle meurt, ou elle devient folle. Folle, elle l'est déjà aux trois quarts. Morte, elle voudrait l'être.

::

Sa cheville, légèrement enflée et encore endolorie, l'empêche de conduire. Elle a fini son dernier roman la veille de *ce jour-là*. Depuis, elle n'a pas lu ni regardé la télé ni fait quoi que ce soit d'autre que fixer le mur. Mais la période d'anesthésie semble bel et bien terminée et la douleur qui gruge sa poitrine ne suffit plus à l'accaparer : la phrase *j'ai mal* a cédé la place à *j'ai mal et je m'ennuie*.

Sur les étagères du bureau traînent les livres qu'elle a dédaignés le jour où elle les a passés en revue. Aujourd'hui, n'ayant pas d'autre ressource, elle se ravise et en prend un au hasard. Elle s'installe sur la terrasse, sa jambe allongée posée sur une chaise.

Elle n'a pas eu la main heureuse : il commence par une rupture.

Passé la première page, le livre ouvert sur les genoux, elle ne lit plus. Après avoir refusé d'y penser pendant des jours, elle vient à l'improviste de mettre un mot concret sur la prose psycho pop de Jean-Louis : rupture. *Prendre du recul. Faire le point. Nécessaire après toutes ces années de relation. Savoir où nous en sommes. Étions trop jeunes. Avons changé tous les deux. Pas sûr que nous voulions la même chose que lorsque nous étions étudiants.*

C'est lui, criss, qui veut autre chose !

Elfie use de toute sa persuasion pour l'engager à faire leur promenade, mais Claire en est incapable, et la chienne ne peut pas le comprendre. Pourtant, *brûler le méchant* lui ferait du bien, mais l'état de sa cheville la force à l'immobilité. Quand il devient évident que sa maîtresse ne la suivra pas, Elfie se met à courir autour de l'érable aux écureuils en aboyant. Claire reprend son livre et essaie de s'y intéresser jusqu'à ce que le silence attire son attention : Elfie est en arrêt. Tout d'abord, Claire ne distingue rien : une sauterelle, sans doute. Puis la chienne attaque et relève la tête avec un petit animal brun en travers de la gueule. Elle le lance en l'air. Il retombe et tente de s'enfuir.

— Elfie ! Reviens !

Mais la gentille chienne obéissante est devenue sourde à ses appels. Elle rattrape la bête sans difficulté, la lance encore et encore, tandis que Claire s'époumone en vain. Quand sa proie ne bouge plus, Elfie la lui apporte fièrement et la dépose en offrande à ses pieds : un corps de campagnol ensanglanté. Claire a juste le temps de se lever pour vomir par-dessus la balustrade, puis elle surmonte sa répugnance pour prodiguer ses félicitations à la chasseresse qui les attend.

::

Elle ne peut pas toucher à la table de la cuisine. Elle mange sur son bureau.

::

Le téléphone. Le répondeur. Le coup de poignard. L'insomnie.

::

Sa cheville va mieux. Claire n'en peut plus de ne pas bouger, mais n'est pas prête à retourner dans la maison voisine où l'attend le désespoir d'une autre femme et de l'homme qui a souffert avec elle. Un manche d'outil découvert dans l'appentis est assez léger pour servir de canne et lui permettre de s'aventurer dans l'escalier menant à la grève. Elle tourne à gauche, dos à la demeure du peintre. Un voilier de bernaches passe au-dessus du fleuve en direction du sud.

::

Jean-Louis a pris une autre route.

::

Oui, Elfie, c'est l'heure, je viens. Claire n'a même plus besoin d'un bâton pour marcher, sa cheville est complètement rétablie. Un nouveau voilier traverse le ciel, de canards, cette fois. Le temps est plus frais et les arbres des berges changent de couleur tous les jours.

::

Cette lettre qui la menace sur la table, elle voudrait pouvoir la détruire, mais n'est pas capable de la toucher. Pourquoi Jean-Louis a-t-il décidé de disparaître ? *J'ai quitté l'appartement. Afin qu'il n'y ait pas de problèmes, j'ai fait un changement d'adresse pour que tu reçoives le courrier pendant la durée de ton séjour. Ainsi, tu pourras t'occuper des choses courantes.* Tout ça, sans donner d'explications, parce que ses vagues formules ne peuvent pas être considérées comme telles. Et puis, pourquoi *cesser de nous voir et même de nous parler ?* Pourquoi *c'est mieux ainsi ?*

À la douleur vient se mêler de la colère. Il ne peut pas décider unilatéralement de ne plus faire partie de sa vie. Il doit s'expliquer, même s'il ne le veut pas. Il n'aime pas qu'elle téléphone à son bureau, mais il ne lui a pas laissé le choix. Demain, elle l'appellera. Toute la nuit, elle répète en boucle ce qu'elle va lui dire, le reformulant à l'infini. Pas de reproches. Pas de larmoiement. De la dignité. De l'autorité. Seulement une exigence : qu'il explique comment il en est arrivé là.

Le répondeur de l'ONG lui apprend que la réception n'ouvre pas avant neuf heures. Levée aux aurores, Claire a du mal à attendre. Faute de pouvoir travailler, elle va marcher le long du fleuve. Tout est différent à cette heure matinale : la qualité de l'air semble meilleure que le soir, bien qu'il n'y ait rien pour polluer à des kilomètres à la ronde ; les oiseaux, plus discrets l'après-midi, chantent à tue-tête ; les vaguelettes argentées brillent autrement.

Une boule dans sa gorge menace de l'empêcher de parler. Elle reprend un café et dit des tendresses à Elfie pour tenter de dénouer sa voix qui sonne bizarrement, comme enrouée. Sa main tremble tandis qu'elle compose le numéro. Elle demande qu'on lui passe Jean-Louis. La réceptionniste lui répond qu'il n'est pas là.
— Savez-vous quand il reviendra ?
Petit rire.
— À peu près dans deux ans.

Il y a confusion. C'est une nouvelle employée et elle a confondu. Claire répète le nom. La femme confirme que c'est bien de lui qu'il s'agit.
— Mais enfin, je ne comprends pas. Qu'est-ce qu'il fait en Afrique ?
— Il est en mission pour construire un dispensaire.
— Au Mali ?
— C'est ça. Au Mali.
Elle raccroche, sous le choc.

Après un moment d'hébétude, la colère supplante la peine. Il a effectué toutes les démarches dans son dos : le dossier, le passage devant le jury, les préparatifs, les vaccinations ! Et il est parti sans rien dire. Même dans sa lettre, il n'en parle pas. Comment a-t-il pu! Après dix ans de vie commune! Il lui a menti pendant des mois. Pendant des années, peut-être? Toutes ces réunions… L'hypocrite! Le sale hypocrite! Et ce séjour dans Charlevoix qu'il l'a encouragée à faire pour l'éloigner. Encouragée à faire? Mais non! Organisé! C'est lui qui a déniché l'annonce de la location. Pour cela, il a dû faire à son insu une recherche dans les publications locales, car il n'a pas pu la trouver dans leur journal habituel. En découvrant que la maison voisine de celle du peintre était à louer, il a dû y voir un coup de pouce du destin. Mieux encore, et plus en amont: c'est lui qui a suggéré qu'elle demande une subvention pour réaliser un projet qu'elle avait jusqu'alors mentionné en passant. Et c'est lui qui l'a aidée à la rédiger. *Laisse-moi faire. J'ai l'habitude: c'est une part importante de mon activité professionnelle.* C'est également lui qui l'a convaincue qu'elle était capable de vivre seule et qu'elle en avait envie. Avec quelle habileté il l'a persuadée que tout cela, c'étaient ses idées à elle! Et au moment de la décision, pour l'inciter à la prendre, il a promis d'aller la voir souvent; ce n'est que le jour du départ qu'il a repoussé sa visite à l'Action de grâces, soi-disant pour ne pas nuire à son travail. Ce trop-plein de colère va l'étouffer. Il faut absolument qu'il sache ce qu'elle pense de lui. Mais là-bas, il n'aura pas le téléphone, elle se souvient de l'avoir entendu dire à Florence ou bien à Marc — de fameux hypocrites, ces deux-là aussi. Des criss d'ostie d'hypocrites. Faute de pouvoir téléphoner, elle va lui écrire. Ce sera moins satisfaisant, mais ça la calmera quand même. Elle rappelle au bureau pour avoir son adresse au Mali, mais la réceptionniste n'accepte pas de la lui communiquer, elle n'en a pas le droit. Claire insiste sans parvenir à la fléchir. Elle finit par dire qu'elle est sa conjointe, et se rend compte au silence de l'autre qu'elle vient de lui donner une raison de plus de refuser l'information. Elle raccroche et compose le numéro de la maison pour hurler toute sa rage au répondeur. Puis elle fonce à la cuisine, prend la lettre et la déchire en petits morceaux avant de la jeter à la poubelle. Ce n'était finalement pas si difficile d'y toucher. Dans la foulée, elle jette aussi l'assiette et la tasse. La table est redevenue bien nette, mais elle n'en ressent aucun soulagement.

Toute la journée, elle marche en rond, lance des objets, ressasse à haute voix. Elfie, inquiète, gémit de temps à autre. Claire accepte de la suivre sur la grève. La promenade ne l'apaise pas.

Le soir, elle déverse son incompréhension et sa souffrance dans le répondeur.

Mauvaise nuit. Au matin, elle retourne marcher le long du fleuve. Sa colère se calme peu à peu comme une tempête qui s'épuise. Restent les dégâts : débris et branches cassées.

Elle doit trouver un autre moyen de se procurer l'adresse de Jean-Louis. Par qui ? Il l'aura donnée à ses parents, bien sûr. Elle réalise qu'il est allé passer la fin de semaine à Val-d'Or pour leur dire au revoir avant de quitter le pays pour deux ans. Comment leur aura-t-il expliqué qu'elle ne l'ait pas accompagné chez eux ? Par son éloignement dans Charlevoix, évidemment. Et le fait qu'il aille seul au Mali ? Elle a besoin de le savoir, mais ne peut pas les appeler. Elle imagine la réaction de la mère de Jean-Louis si elle lui apprend qu'il a disparu de sa vie en laissant juste un mot ne mentionnant même pas sa destination. En fait, elle ne l'imagine pas, c'est une façon de dire. Après tout, peut-être serait-elle contente. Elle ignore ses sentiments à son égard. Et si elle ne la trouvait pas assez bien pour son garçon ? Là, elle est en pleine paranoïa. Elle n'a rien à reprocher à la mère de Jean-Louis, qui l'a toujours traitée comme si elle était de la famille. Mais elle ne peut pas l'appeler pour lui dire que son fils s'est conduit comme un écœurant. Qui, alors ? Josée ? Elles ne sont pas intimes, loin de là. Mais c'est surtout parce que la jeune femme ne s'est jamais bien entendue avec son frère. De deux ans plus vieux, il la picosse sans arrêt, ce qui l'agace. Claire n'a jamais senti de complicité entre eux.

Elle ne comprend pas l'attitude de Jean-Louis. Elle ne peut pas la comprendre. Pourquoi ne lui en a-t-il pas parlé? Redoutait-il qu'elle essaie de l'empêcher de partir? Il est vrai qu'elle avait refusé de l'accompagner lorsqu'il le lui avait demandé, mais s'il avait insisté davantage, elle aurait fini par accepter. Ne le savait-il pas? Après dix ans de vie commune? Peut-on vivre dix ans avec quelqu'un et se tromper à ce point? Elle ne peut pas y croire. Pourtant, c'est bien de cela qu'il s'agit. Mais non, ce n'est pas cela. Bien que le dispensaire au Mali lui tînt à cœur, le vrai projet, c'était de la quitter. Sans avertissement, sans explication, sans que rien ne permette de le prévoir.

Elle se procure le numéro de Josée par la compagnie de téléphone. Elle l'écrit sur un papier, le contemple sans arriver à se décider, part marcher. Ça va toujours mieux après.

Sa pensée dérive vers Isidore Beaulieu. S'il était encore de ce monde, elle irait le rejoindre sur la grève. Il lui dirait pourquoi il n'est jamais parvenu à se consoler de la perte de sa compagne. Pourquoi il n'a jamais retrouvé le goût de vivre. Il a vécu pourtant. Il pourrait lui expliquer comment il a eu la force de continuer. Elle l'écouterait, assise sur un rocher, le regard sur le soleil qui teinte le fleuve de sang, puis ils repartiraient, chacun dans sa maison en compagnie de son propre désespoir.

Au risque d'être mal reçue, elle appelle Josée, car elle n'a pas d'autre solution. Sa belle-sœur ne répond pas. Peut-être promène-t-elle Élian, son tout petit bébé? L'automne est si doux. Au retour, elle lui donnera le sein, puis elle le couchera au milieu des dentelles et le regardera dormir, le cœur gonflé de tendresse. Plus tard,

Georges rentrera du travail, il la prendra dans ses bras, ils iront ensemble se pencher sur le berceau.

Josée était au centre médical.

— Élian tousse encore, ça fait un mois, on est inquiets. On ne dort pas, la nuit il tousse et il pleure. On est épuisés.

Claire veut avoir un bébé qui tousse, être inquiète pour lui, être épuisée.

— Et toi, ça va, la solitude?

— Justement…

Elle essaie de ne pas exposer trop crûment les choses, mais comment expliquer qu'elle n'a pas son adresse sans dire qu'il l'a quittée? Il y a un silence, puis la voix de Josée, incrédule:

— Tu es en train de m'apprendre qu'il est parti sans t'avertir et ne t'a même pas dit où il allait? Je n'en reviens pas! Il a prétendu que vous aviez décidé ensemble de vous séparer pour réfléchir. Mais, tu sais, ça ne m'étonne pas vraiment de lui: il a toujours été lâche et égoïste.

Claire ouvre la bouche pour prendre sa défense, mais Josée le devine et l'arrête:

— Avant de m'affirmer le contraire, penses-y bien, tu verras que j'ai raison. Tu la veux pour quoi son adresse?

— Lui écrire ce que j'ai sur le cœur.

— Tu ferais mieux de l'oublier. De toute façon, je ne l'ai pas, et nos parents non plus. Il a dit qu'il ne la connaissait pas encore. Je me doute maintenant que c'était un mensonge de plus.

— Quand tu l'auras, tu me la donneras?

— D'accord, mais tu devrais suivre mon conseil.

Claire entend des cris de bébé.

— Je dois te quitter, il faut que je m'occupe d'Élian.

Sa voix s'adoucit:

— Essaie de penser à autre chose, profite du beau temps pour te promener. Ne le pleure pas, il ne le mérite pas.

Cette lettre, elle va quand même la rédiger tout de suite. Quand elle obtiendra l'adresse, elle sera prête, il suffira de l'envoyer.

Jean-Louis,

J'ai appris par ton employeur que tu es au Mali et par ta sœur que tu as prétendu que nous avions convenu de nous séparer pour faire le point. J'ai appris par ton employeur et par ta sœur que tu es un menteur et un lâche. J'ai vécu dix ans avec toi sans me douter un instant que tu étais menteur et lâche, que le donneur de leçons prêt à sauver le monde entier était incapable de conduire honnête-ment sa propre vie. Le nombre de petits mensonges que tu as dû accumuler pour couvrir le plus gros suppose une dissimulation permanente.

La colère l'étouffe, elle reprendra plus tard.

La question du retour à Montréal, qu'à vrai dire elle ne s'était plus posée depuis ses découvertes dans la maison voisine, n'est plus envisageable : sa solitude y serait pire, puisque tout, dans l'appartement, lui rappellerait Jean-Louis. Et puis, il faudrait en parler à ses parents, donner des explications aux voisins… Tout cela lui paraît insurmontable. Ici, elle est à l'abri. Elle va toutefois devoir en sortir, du moins le temps de se rendre à une librairie, car elle n'a plus de livres et ceux de la maison ne l'intéressent décidément pas. Elle veut des romans qui la passionneront assez pour la sortir d'elle-même. Elle n'a plus de vin non plus, et celui du dépanneur n'est guère engageant. S'il ne reste que le vin dans l'existence, autant qu'il soit bon. Elle s'essaie à l'autodérision, mais n'y croit pas elle-même. Elle se sent vide et inutile. S'il n'y avait pas la chienne… Mauvais prétexte. Elle pourrait laisser la chienne à madame Bolduc. La vérité, c'est qu'elle n'a pas le cou-rage physique de le faire. Elle a trop peur de la mort. Elle voudrait mourir dans son sommeil, mais aucune chance que cela lui arrive.

Pas à une femme de trente ans en bonne santé. Elle crève de colère et de douleur, et n'a pas le courage de faire le petit geste qui arrêterait tout.

Claire est restée avec l'idée que c'est à Québec qu'elle doit aller, mais elle ne sait plus pourquoi. Peu importe, cela lui reviendra peut-être. La ville est à une heure et demie de route. Il fait soleil, la circulation est fluide et conduire la détend. Longer le fleuve a été un plaisir, mais quand elle se retrouve dans les rues du Vieux-Québec, elle est étreinte par une sorte de claustrophobie. Le terme juste serait agoraphobie, puisqu'elle est à l'extérieur et qu'il y a beaucoup de monde autour d'elle, mais elle ne croit pas que ce soient les gens qui lui donnent cette sensation d'étouffement, plutôt les bâtiments rapprochés. Après la vue sur l'horizon, la seule qu'elle ait depuis des semaines (des? quelques? combien?), elle se sent en terre inconnue et hostile, elle, la citadine, née dans un quartier populeux de Montréal, qui n'a jamais vécu dans un lieu isolé avant cet automne. À moins qu'après tout ce ne soient les gens qui l'oppressent; il y a si longtemps qu'elle ne voit personne. Elle attache la laisse d'Elfie à un réverbère et entre dans la plus grosse librairie de la ville. Elle prend des livres et les repose sans avoir la patience de lire les quatrièmes de couverture jusqu'au bout. Finalement, elle en pêche quelques-uns au petit bonheur et sort comme on s'enfuit, pressée de retrouver la voiture, la route et, au bout, le silence.

Il y a déjà une heure qu'elle roule lorsqu'elle s'avise qu'elle a oublié d'aller consulter ses courriels. Il lui revient aussi qu'elle voulait aller à Québec pour retrouver l'ami d'Isidore Beaulieu. Ce sera pour une autre fois, si elle récupère la capacité de travailler et d'entrer en contact avec des gens. Si un jour elle peut penser à autre chose qu'à son abandon, sa vie rompue, sa désespérance.

Elle s'arrête chez Bolduc pour acheter quelques provisions. Un des grands magasins de Québec lui aurait offert plus de variété, mais elle aurait dû chercher les articles, réfléchir, choisir. Ici, elle fait ses courses machinalement et répond tout aussi machinalement à madame Bolduc, dont la conversation est aussi prévisible que le contenu de son dépanneur.

Elle retrouve sa lettre à Jean-Louis sur le bureau. Plus tard.

Tous les soirs, le répondeur. Dose d'adrénaline et de douleur. Elle a pris l'habitude de lui parler. Pas toujours des insultes. Elle supplie parfois, s'abaisse, se traîne, va jusqu'au bout de sa veulerie, puis s'effondre sur le lit où elle reste prostrée longtemps, jusqu'à ce qu'Elfie vienne la chercher pour la nourrir. Et elle mange aussi, sur la petite table ronde désormais sans danger.

Pourquoi m'as-tu fait ça ?

Que se passerait-il si elle allait au Mali demander à Jean-Louis de s'expliquer ? Sa tête en la voyant débarquer ! Elle en rirait si elle savait encore rire.

Les feuilles de l'érable ont commencé de tomber. Elle va les ratisser. Dès qu'elle en a accumulé un tas, Elfie plonge dedans et les éparpille. Ce soir, le brossage sera long et ardu, mais la chienne y prend tellement de plaisir qu'elle la laisse faire plusieurs fois. Elle finit par l'enfermer, le temps de brûler les feuilles, puis la délivre pour la promenade. Près du fleuve, l'air est plus frais que sur le plateau. Son coupe-vent est trop léger et elle appelle la chienne pour rentrer. Les vêtements chauds sont restés dans le sac de voyage. Quand elle les sort, ils sentent le renfermé. Elle les accroche sur la corde à linge pour les aérer.

Ce soir, le téléphone. Peut-être Josée qui a l'adresse de Jean-Louis ?

C'est sa mère. Le reproche habituel : tu n'as pas appelé. Elle invoque le travail, la concentration, la nécessité de s'isoler.

— Tu ne sors pas du tout ? Tu ne vois personne ?

— Si. Je te l'ai dit la dernière fois. Des gens pour le film : le maire, les propriétaires de la maison...

Puis elle lui raconte son incursion à Québec, qui devient un intermède plaisant et à renouveler. Elle parle aussi de madame Bolduc, une commerçante serviable qui habite à peu de distance.

— Il me semble que ta voix est meilleure. Sais-tu que tu m'as inquiétée la dernière fois ? Je persiste à croire qu'une telle solitude n'est pas bonne.

— Ne te tracasse pas, maman, je suis très bien ici et je n'ai aucune envie d'être ailleurs.

Au moins, la fin de la phrase est vraie. Pour finir de la rassurer, elle s'efforce de s'intéresser aux autres, s'enquiert de son père, souvent fatigué depuis quelque temps, et de ses grands-parents qui sont en Floride. Elle n'écoute pas vraiment les réponses, mais sursaute quand Diane lui assène, juste avant de raccrocher :

— Au fait, ce soir, en passant en voiture, j'ai vu Marc qui rentrait chez eux. Je les croyais au Mali.

La nouvelle la prend complètement au dépourvu. Elle reste coite et sa mère réagit.

— Tu ne le savais pas ?

Mais Claire s'est ressaisie.

— Ils ont eu un problème de dernière minute. Ça m'était sorti de l'esprit.

— Vraiment ? C'est tout ce que ça te fait ? Tu es fâchée avec Florence ?

— Bien sûr que non, mais il y a eu les préparatifs, puis ce contretemps, et elle a été très occupée. En plus, je lui ai bien dit que je ne voulais pas être dérangée.

— Plus je t'entends, plus j'ai l'impression que tu l'es, dérangée, mais pas dans le sens où tu l'emploies. Je vais voir avec ton père si on peut venir te rendre visite.

— Je t'en prie, maman, c'est trop loin pour une fin de semaine. Je t'assure que tout va bien.

Elle finit par raccrocher. Claire écrit sur un post-it *Appeler maman tous les 3 jours* et le colle sur son bureau, puis elle s'assoit et laisse la nouvelle faire sa place. Ce ne sont pas Florence et Marc qui sont partis au Mali, mais Jean-Louis. Elle comprend les réticences de Florence à son égard : elle le savait et se sentait gênée de la laisser l'ignorer. C'est bien le moins : elles sont liées depuis le secondaire. Mais cela ne la blesse pas autant qu'elle aurait pu le croire. Elle est plus déçue que peinée, car — elle s'en rend compte maintenant — leur amitié s'est insidieusement délitée. Dès les commencements, elles s'étaient tout raconté : les garçons qui leur plaisaient, leurs rêves d'avenir… Quand le projet de dispensaire a débuté, Florence était intarissable. Elles se voyaient seules les mardis, c'était leur soirée. L'une parlait des terribles besoins médicaux de l'Afrique, l'autre d'Isidore Beaulieu. Claire l'admirait de tant se dévouer, comme elle admirait Jean-Louis, et se trouvait égoïste, mesquine, petite. Son amie lui disait que non, qu'elle aussi accomplissait des choses importantes. Puis Florence a commencé de se décommander sous des prétextes divers, et pour finir elles ont perdu l'habitude de se retrouver. Malgré tout, Claire avait gardé l'illusion que Florence était sa meilleure amie. Elle n'en a pas de rechange, elles étaient trop proches pour laisser de la place aux autres. Elle est sidérée que Florence ne lui ait rien dit. Il lui faut tirer au clair ses motivations. Mais elle est trop accablée pour l'appeler ce soir.

La pluie a commencé pendant la nuit et la météo prévoit qu'elle durera toute la journée. Claire va être privée de sa seule distraction : la promenade sur la grève. Elle ne parvient même pas à lire. La duplicité de Jean-Louis, de Florence, de Marc la révolte, la dégoûte, la rend malade. Elle tourne en rond. Florence ne rentrera pas du travail avant des heures. Comment elle et Marc ont-ils pu abandonner un projet auquel ils tenaient tant ? Et comment Florence a-t-elle pu, lorsqu'elle l'a appelée, quelques jours à peine avant le départ de Jean-Louis, lui répondre comme si elle-même y allait aussi ? Ce short avec des tas de poches acheté à La Cordée, ces sandales à moitié prix — *C'était la dernière paire et elles étaient à ma taille, tu te rends compte la chance ?* Elle a raconté tout cela avec le naturel d'une comédienne. Pourquoi ? Mais pourquoi ? Et les vaccinations, les romans — la liste qu'elle-même lui avait préparée avec l'aide compétente de sa mère bibliothécaire ?

Elle sort malgré la pluie, équipée d'un vieux ciré et d'un parapluie découverts dans une penderie. Elfie est contente pourvu qu'elle bouge. Les marches taillées dans la falaise sont glissantes, les galets aussi, la promenade ne sera pas longue. En rentrant, elle doit éponger la chienne, ce qui l'occupe un moment. Elle décide finalement de laisser un message à Florence sur son répondeur en lui précisant son numéro, qu'elle n'a peut-être pas, elle ne s'en souvient plus, et en lui demandant de l'appeler aujourd'hui même. Elle n'a aucune idée de l'heure de son retour — elle non plus ne fait pas du neuf à cinq — et ne voudrait pas la rater au cas où elle ressortirait.

Elle finit par lire un peu, assise à son bureau, devant un horizon bouché.

Le téléphone, enfin. La voix coléreuse de Marc :
— À quoi joues-tu ? Si ça t'amuse, moi pas.
— De quoi parles-tu ?
— De ton message stupide.
— Qu'y a-t-il de stupide à souhaiter que Florence m'appelle ?
Silence. Elle s'énerve.

— Elle aurait dû le faire sans que je le lui demande, ou bien toi. Tu es mon ami, toi aussi, non ?

Sa voix, qu'elle n'arrive pas à contrôler, devient de plus en plus aiguë.

— Vous saviez que Jean-Louis partait, mais vous ne m'avez rien dit. De ta part, à la rigueur, je peux comprendre, solidarité masculine, mais de Florence, vraiment, ça me dépasse.

— Attends, là, qu'est-ce que tu dis ? Tu n'es pas au courant ?

— Si, je suis au courant. Pas par Jean-Louis, ni par vous. Il s'est contenté de m'écrire qu'il avait quitté l'appartement. Pour prendre du recul, paraît-il, pour réfléchir. C'est par votre employeur que j'ai appris où il était, et c'est par ma mère qui t'a vu que j'ai découvert que vous, vous n'êtes pas partis.

Un gros soupir.

— Donc, tu n'as pas eu mon courriel ?

Sa voix l'alerte. Pourtant, que peut-il lui révéler de nouveau ? Elle voudrait raccrocher pour ne pas le savoir. Il insiste :

— Tu ne l'as pas eu ?

Exaspérée, elle vocifère :

— Je ne suis pas connectée, tu l'ignores ?

— Calme-toi, je vais tout t'expliquer.

C'est pire que tout. Jean-Louis et Florence sont partis ensemble en Afrique. Ils ont une liaison. C'est la raison pour laquelle lui, Marc, a démissionné du projet.

— J'aurais fini par les tuer.

Marc et Florence aussi sont — étaient — un couple depuis des années.

— Il y a longtemps que tu es au courant ?

— Jean-Louis a monté le dossier en même temps que nous. Pour le reste, je l'ai appris par hasard, bêtement, en rentrant un soir à la maison plus tôt que prévu. Je n'en reviens pas qu'ils ne t'aient rien dit.

Elle raccroche.

C'est trop. Elle se sent anesthésiée et ne veut surtout pas que son esprit se remette à fonctionner. Elle prend le reliquat des Ativan qui lui avaient été prescrits lors d'une période d'insomnie, remplit le plat d'Elfie, coince la porte pour qu'elle puisse sortir, avale les cachets qu'il reste et va se coucher.

II

Si elle ne se faisait pas violence, Diane dirait une fois encore à Michel à quel point elle a peur de ce qu'ils vont trouver là-bas, mais à quoi cela servirait-il, à part le rendre nerveux ? Il est soucieux, elle le sait bien, sans quoi il n'aurait pas accepté de partir sur-le-champ, un samedi matin, pour rouler vers Charlevoix malgré la fatigue qui l'accable. Jusqu'à l'automne dernier, il bricolait les fins de semaine, ou soignait le jardin, ses chères fleurs… Désormais, il se contente de regarder du sport à la télé et refuse toutes les propositions de sortie. Pour lui aussi, elle est inquiète. Il faudrait qu'il prenne sa retraite. Si seulement l'entreprise pouvait trouver un acquéreur… Malgré son insistance, il n'a toujours pas consulté un médecin. Il a dit qu'il irait plus tard. Et maintenant, avec ce qui arrive à Claire…

— Diane, tu ne pourrais pas arrêter de tripoter ce téléphone ? Tu sais bien que ça ne sert à rien.

C'est certain qu'il ne se mettra pas à sonner par miracle, puisqu'elle a oublié de le recharger. Elle l'avait juste gardé pour s'occuper les doigts. Elle le dépose sur le tableau de bord pour penser à le charger en arrivant chez leur fille. Claire se fâchera peut-être en les voyant alors qu'elle avait demandé de ne pas être dérangée. Diane se complaît dans l'évocation d'une Claire fâchée, leur adressant des reproches, pour éloigner une image qu'elle ne veut pas laisser se former. *Il y a des tas de raisons pour expliquer son silence*, a dit

Michel d'une voix apaisante. C'est vrai : la ligne peut tout simplement être en panne, comme cela s'est déjà produit à cause d'un gros orage ; l'appareil est peut-être mal raccroché — non, il sonnerait occupé ; elle sera allée faire des courses, ou une promenade, ou... Comme il y a trois jours que Diane essaie sans résultat, hier soir, elle a décidé de téléphoner à Florence dans l'espoir d'obtenir des nouvelles. Elle croyait savoir que la jeune femme n'était pas partie en Afrique puisqu'elle avait vu Marc entrer chez eux. Elle a livré son message au répondeur. Pour être sûre que l'amie de sa fille ne tarde pas à la rappeler, elle a laissé percer son inquiétude. C'est Marc qui s'en est acquitté ce matin. Elle ne se souvient même pas si elle l'a remercié. Il y a deux jours que leur fille connaît la vérité, et elle ne répond pas au téléphone, c'est ce qui a éclaté dans sa tête en l'écoutant. Elle a dit à Michel *On y va. Tout de suite*. Il n'a pas protesté, ce qui a accru son inquiétude. Pendant qu'il cherchait la bonne carte routière, elle mettait quelques vêtements dans un sac. Quand ils sont partis, il n'y avait pas une demi-heure que Marc lui avait raconté ce qui s'était passé et comment Claire l'avait appris. Maintenant qu'elle n'a rien d'autre à faire que penser, en se laissant mener jusqu'à leur fille, les intonations de Marc lui reviennent. Il est resté neutre dans sa façon de s'exprimer, mais elle a senti une fêlure. Après sa rencontre avec Florence, Marc, qui étudiait en cinéma, l'a rejointe en sciences politiques. Pourtant, l'image est sa passion. On ne le voit jamais sans une caméra ou un appareil photo à la main. À la fin de ses études, tout le monde pensait qu'il ferait un métier lui permettant de concilier ses deux centres d'intérêt, reporter, peut-être. Mais il était tellement amoureux de Florence qu'il avait préféré ne pas s'en éloigner. Il est possible que lui aussi ait besoin d'aide.

Au moins, le temps est beau, la route sera facile. C'est Michel qui conduit. Elle, elle n'aime pas. En ville, cela ne la dérange pas trop, mais sur l'autoroute, le vent des camions qui les frôlent et déportent le véhicule la stresse tant qu'elle parvient à destination épuisée et à bout de nerfs. C'est pourquoi en général Michel conduit. Mais il lui semble qu'aujourd'hui elle préférerait être au volant : ce serait sans doute moins pénible de s'angoisser pour la route.

Elle a toujours su que c'était une mauvaise idée que Claire aille s'isoler aussi loin et aussi longtemps. Le documentaire, bien sûr… Pourtant, rien ne l'aurait empêchée de le préparer en restant basée à Montréal. C'est Jean-Louis qui l'a poussée à s'installer là-bas pour s'en débarrasser et avoir les coudées franches. Mais Diane ne veut pas penser à lui. Elle aurait trop de colère. Elle veut se concentrer sur Claire. Avoir de bonnes pensées pour l'aider de loin, la soutenir en attendant leur arrivée, avant de pouvoir la serrer dans ses bras pour la consoler. Quelques années avant sa naissance, alors qu'elle avait si désespérément envie d'être mère, elle avait assisté à un concert de Mercedes Sosa. En entendant *Duerme negrito* porté par sa voix si émouvante, elle s'était promis que si elle avait un jour un enfant, elle lui chanterait cette berceuse, qui était aussi un chant engagé. Et elle l'a fait. Longtemps. Claire la lui réclamait tous les soirs, puis elle a grandi et le rituel de la lecture a remplacé celui de la berceuse. *Le Livre de la jungle*, *Blanche Neige*, *La Chèvre de monsieur Seguin*… Heureusement que Claire n'a pas d'enfant, ce serait difficile pour elle de s'en occuper seule. Mais est-ce qu'elle sait si cela ne lui donnerait pas, au contraire, la raison de vivre qui risque de lui manquer ? Elle l'a vue prendre dans ses bras les bébés de ses amies. Pas de Florence, bien sûr, elle non plus n'en a pas. Il n'y a que son travail qui compte. Son travail et l'homme de sa meilleure amie. À elle non plus Diane ne veut pas penser. Pourtant, lorsqu'elles étaient des adolescentes inséparables, c'était comme une deuxième fille pour eux.

— Pardon ?

— Je disais que je vais m'arrêter à la prochaine sortie. J'ai besoin de bouger un peu, d'aller aux toilettes, de prendre un café. On est partis vite.

Il y a un téléphone près des toilettes des femmes. Diane en profite pour réessayer et laisse sonner dix fois avant d'abandonner et de rejoindre Michel au comptoir. Il a commandé deux cafés. Même si elle ne dit rien, il n'est pas dupe.

— Il y a une bonne raison pour qu'elle ne décroche pas. On va le découvrir en arrivant.

Elle ne répond pas et lui demande s'il ne préfère pas s'asseoir.

— On sera assis bien assez longtemps.

— Combien de temps à ton avis?

— À peu près quatre heures.

Sans grande conviction, elle lui propose de conduire. Il refuse. La route est monotone. Il allume la radio, puis l'éteint. Cela fait quatre ou cinq fois depuis leur départ. La jovialité obligatoire de l'animateur qui agace Diane doit l'irriter aussi, mais ils ne disent rien, et le silence est lourd. Elle a essayé de trouver des sujets de conversation neutres, comme le beau temps de ce mois de septembre, les couleurs des arbres, la fluidité de la circulation, mais ils sont retombés tout de suite, faute de relance de sa part et de volonté de la sienne. Ils dépassent un autobus scolaire. Certains enfants agitent la main amicalement, d'autres grimacent, un garçon leur adresse un geste obscène, ses voisines pouffent. Puis plus rien devant eux pendant des kilomètres.

Jean-Louis, ils ont dû l'accepter du jour au lendemain. Quand elle a emménagé avec lui, elle le connaissait de la veille. Ils avaient vingt ans tous les deux et rien de ce qui les entourait ne franchissait leur bulle. Ils vivaient en symbiose. Claire avait même failli changer de programme pour ne pas le quitter. Par chance, elle était inscrite à un cours donné par un professeur qu'elle admirait, et c'est grâce à lui qu'elle est restée en cinéma. Sinon, là aussi, elle aurait fait ce que Jean-Louis aimait au détriment de ses propres aspirations. Ils ont vu tout de suite qu'elle était sous sa coupe : il décidait de tout et elle acquiesçait, heureuse en appa- rence. Au début, Diane a essayé de lui en parler, mais autant s'adresser au mur : il était intouchable. Et c'est vrai qu'elle n'avait pas l'air malheureuse, du moins tant qu'ils étaient étudiants. Pour la suite, il serait plus hasardeux de l'affirmer. Elle ne se plaignait pas, certes, elle ne l'a jamais dénigré, mais elle devait sentir le refus viscéral qu'il avait de s'engager vis-à-vis d'elle — lui qui s'engageait à fond dans toutes sortes de causes —, un refus diffi- cilement compatible avec le fait de vivre en couple. Qu'ils ne se marient pas n'était pas le problème. Qui se marie encore de nos jours ? Mais sa réticence à acquérir un appartement, alors qu'ils en avaient les moyens et qu'elle le souhaitait, était un signe, et surtout l'enfant qui ne venait pas. Quand la sœur de Jean-Louis a eu son bébé, Diane a bien compris que Claire était intéressée par l'événement bien plus que ne le justifiait l'arrivée d'un neveu qu'elle verrait rarement pour des raisons géographiques. Elle en avait profité pour demander s'ils avaient des problèmes de fertilité, et sa fille lui avait répondu sèchement qu'ils n'avaient pas essayé parce qu'ils étaient jeunes et avaient le temps. Diane avait fait remarquer qu'ils avaient presque trente ans et n'étaient plus si jeunes, à quoi Claire avait répliqué que les gens avaient des enfants de plus en plus tard, ce dont elle avait été obligée de convenir. Elle était néanmoins restée persuadée que Claire en voulait un et que Jean-Louis renâclait.

Diane et Michel l'avaient voulue tous les deux, leur Claire. Ils l'ont entourée, aimée, protégée. Diane l'a peut-être un peu étouf- fée, malgré Michel, qui lui répétait de la laisser respirer. Mais c'était plus fort qu'elle : elle essayait de prévenir tout ce qui aurait pu lui causer du mal. Peut-on être coupable de trop aimer son enfant ? Il y a longtemps que Claire a quitté la maison, mais sa mère n'a jamais cessé de veiller sur elle de loin. Quand quelque chose ne va pas, elle le sent, la voix de sa fille n'est pas la même. Là, elle était inquiète depuis le début, même si, d'après Marc, Claire vient juste d'apprendre la vérité. C'était la solitude qui ne lui valait rien, ou bien le pressentiment de la trahison. Cette hypocrite de Florence ! C'est pourtant le dernier qualificatif qu'elle lui aurait accolé. Toujours si franche, si spontanée, la petite Florence. Elles se sont connues dès la première année du secondaire. Elle ne se souvient pas bien si elles ont été amies tout de suite, mais il y avait eu cette pièce de théâtre après laquelle elles étaient toujours ensemble. Toutes deux voulaient être comédiennes quand elles seraient grandes. Ils ont été soulagés qu'elles ne persistent pas. C'est un métier tellement dur, qui permet à si peu de gens de gagner correctement leur vie. Travailler derrière la caméra, comme le fait Claire, est déjà bien assez aléatoire… Les parents de Florence étaient plus permissifs, et Diane est certaine que c'est dans leur maison qu'elles ont impunément consommé tout ce qu'elles ont eu envie d'essayer. Eux ne l'auraient pas toléré, non qu'ils soient spécialement puritains, mais il ne faut pas encourager ces choses-là. Les deux couples n'ont jamais vraiment sympathisé. Les uns étaient trop *cool*, ou les autres, trop *straight*. Ils se rencontraient aux représentations théâtrales auxquelles leurs filles participaient et jouaient le jeu de l'amitié pour leur faire plaisir, mais après, c'était *bye bye* à l'année prochaine.

Tout le monde subit des ruptures. Ça fait mal, mais on s'en remet. Diane a souffert de l'abandon d'Alain, mais lorsqu'elle y repense, elle considère que c'est ce qui lui est arrivé de mieux. Quand il lui a annoncé qu'il voulait divorcer, elle est tombée des nues. Elle aurait sans doute dû s'y attendre, c'est ce qu'on se dit après. Mais en ce temps-là, on se mariait pour la vie et le divorce n'était pas vraiment entré dans les mœurs. Il n'y avait que l'adultère qui pouvait être invoqué. De toute façon, c'était de cela qu'il s'agissait. À y bien penser, c'est presque toujours la raison. Elle était malheureuse et elle avait honte. Honte pour elle et pour sa famille. Paraître à l'église la tête haute n'était pas facile pour la mère d'une divorcée, et la sienne en a souffert. Ses voisines dont les filles étaient heureuses en ménage, ou qui faisaient semblant, la regardaient en chuchotant. Pour sa part, elle avait préféré cesser d'aller à la messe. Ce qui l'avait blessée le plus, c'était d'avoir été abandonnée pour une autre. De là à conclure qu'elle n'était pas assez belle, pas assez fine, pas assez brillante... Elle se croyait fautive: si elle avait été mieux, il serait resté avec elle. Mais sa vie conjugale ne lui a pas manqué, même si elle s'est retrouvée seule d'un coup, sans préparation. Ils n'avaient rien à se dire. Les soirées étaient interminables et ses efforts rarement récompensés. Elle avait reçu en cadeau de mariage un livre de recettes exotiques qu'elle avait envie d'essayer. Toutes ses tentatives culinaires obtenaient invariablement le même commentaire: *Tu avoueras que ça ne vaut pas un bon pâté chinois.* Au lit ce n'était pas si mal, mais cela ne suffisait pas à rendre leur vie commune intéressante. Du jour au lendemain, après une petite année de mariage, il lui avait annoncé sans ménagement qu'il voulait divorcer. Elle avait deviné qu'il la quittait pour une autre femme, et il l'avait admis assez vite. Il s'agissait d'une de ses collègues de bureau embauchée quelques mois auparavant et dont il était tombé amoureux le jour même où il l'avait vue. Sur le moment, elle avait pensé que sa vie était finie. Longtemps plus tard, après avoir épuisé ses larmes et usé sa rancune, elle avait convenu que leur mariage avait été une erreur. Mais comment auraient-ils pu le prévoir? Ils s'étaient fréquentés sous la supervision d'un chaperon. Pas trop sévère, puisque c'était son amie Joëlle, mais tout de même, sa présence restreignait leur marge de manœuvre. Ils passaient des heures collés l'un à l'autre sur le sofa, en proie à un désir taraudant qui occultait tout le reste. S'il y avait eu, comme à la fin de la décennie, la liberté sexuelle que la pilule avait permise, ils ne se seraient jamais mariés. Le désir assouvi, ils auraient sans doute découvert qu'il n'y avait que cela : une attirance physique. Enfin, peut-être. Quand Alain l'a quittée, la mère de Diane voulait qu'elle retourne vivre avec elle. Elle avait à peine dix-neuf ans, et sa mère, qui pourtant était devenue veuve jeune et avait dû se débrouiller seule, n'imaginait pas qu'elle soit capable d'en faire autant. Elle a résisté et elle a eu raison, parce qu'elle y serait encore. Et alors, pas de Michel et pas de Claire dans sa vie. Claire et Jean-Louis n'ont pas grand-chose en commun eux non plus, ce qui ne les a pas empêchés de rester dix ans ensemble. C'est l'adultère qui a mis fin au couple. Rien de nouveau sous le soleil.

— On a l'impression que cette génération ne veut pas grandir.
— De quoi parles-tu ?
Il désigne la radio.
— Je n'écoutais pas.
— *Génération Passe-Partout.* Des artistes de l'âge de notre fille chantent les chansons de *Passe-Partout.* Il serait temps qu'ils aient eux-mêmes des enfants et cessent de se comporter comme si leurs parents devaient toujours être derrière eux.
— Quand même, tu exagères, elle est partie de la maison à vingt ans.
— Et jusqu'à quand lui avons-nous payé son loyer ?
— Elle étudiait, Michel, elle était sérieuse. Et puis, elle a été si malade.
— Tu as raison. Je pensais à la fille de Maurice. Il m'en parlait hier, à la pause de midi. Ils sont désespérés. Elle a encore replongé.
— Tu ne peux pas généraliser : Vanessa est une *junkie*, un cas tout à fait à part. Regarde les amis de Claire, ils ont tous fait des études et trouvé de bons emplois.
— Oui, dit-il avec amertume, Jean-Louis, Florence…

Ils se taisent. La radio égrène les nouvelles. *Une ville de Cisjor-danie de 45 000 habitants est presque complètement encerclée par huit mètres de béton. Tous les matins, après une longue attente, les agriculteurs qui possèdent des terres au-delà du mur doivent montrer leurs papiers et traverser un détecteur de métal pour franchir la porte qui leur permet d'y accéder. En Irlande du Nord, douze ans après la signature des accords de paix, il reste des douzaines de kilomètres de murs destinés à protéger les résidents des attaques sectaires. En réalité, ils ciment surtout les divisions entre les communautés catholique et protestante.*

Une fois de plus, Michel éteint la radio.

— Toujours de la haine et des murs, des murs partout. Regarde plutôt dans le vide-poche s'il n'y aurait pas un CD.

Elle entasse le fouillis sur ses genoux, une quantité d'objets, dont certains sont utiles, comme une lampe torche, un tournevis, un carnet vierge, un stylo. Par contre, à la prochaine halte, ils feraient bien de se débarrasser des vœux de leur député, de la publicité pour les rabais du Boxing Day — neuf mois plus tard ! — et de quelques autres papiers du même acabit qui sont visiblement le contenu de la boîte aux lettres, ramassé au moment d'un départ, jeté là et oublié. Miracle : tout au fond se cache John Coltrane. C'est souvent lui qu'ils choisissent en prenant un verre avant le souper pour se décontracter, se raconter les petits événements du jour, être bien ensemble. D'ordinaire, sa musique les relaxe, mais aujourd'hui…

Sa poussinette a suivi religieusement *Passe-Partout* soir et matin pendant des années. Au début, Diane regardait l'émission avec elle. Assises sur le tapis du salon, elles chantaient avec les person-nages. Quand Claire a été un peu plus grande, elle allait préparer le repas pendant que la petite restait fascinée devant l'écran. Elle lui criait : *Chante, maman !* et elle chantait en épluchant *les bons bons légumes* du souper. Pendant l'épisode du matin — le même que celui de la veille, qu'elle suivait avec un émerveillement égal —, Diane en profitait pour démêler ses longs cheveux. Elle protestait un peu lorsqu'elle tirait trop fort, mais se laissait faire. Sans *Passe-Partout*, elle n'y serait pas parvenue et aurait été obligée de les lui couper, ce qui lui aurait fendu le cœur : ses cheveux sont épais, soyeux, avec des coulées d'or dans une masse châtaine. Sa grand-mère s'étonnait d'entendre Claire si bien s'exprimer, construire, si jeune, des phrases complètes et utiliser un vocabulaire aussi précis. Diane ne lui a jamais révélé que sa petite-fille lui resservait telles quelles des répliques de *Passe-Partout*. Longtemps, Claire a cru que les personnages de l'émission étaient réels, et quand venaient les vacances d'été, elle suppliait ses parents d'aller à la ferme de Fardoche pour faire des sandwichs au gazon à Alakazoo.

— Est-ce qu'il y a des zèbres au Mali ?

Michel lui jette un coup d'œil éberlué.

— Excuse-moi. Je pensais à *Passe-Partout* et, de fil en aiguille… Je m'en moque, qu'il y ait ou non des zèbres.

Il ne dit rien et elle cherche un moyen de faire oublier sa phrase idiote en lui racontant un incident qui s'est produit la veille, à la bibliothèque. Une espèce de fou a surgi, s'est planté devant Jeannette et lui a tenu des propos incohérents sur l'indiscrétion, la confidentialité, le fait que sa vie ne regardait que lui et qu'il n'avait pas à répondre aux questions de cette grosse vache qui se mêlait de ce qui n'était pas de ses affaires. Elles étaient terrorisées, Jeannette surtout. Quel soulagement quand le gardien de l'exposition présentée dans la salle du fond de la bibliothèque est venu, l'a pris par le bras et reconduit dehors ! L'homme s'est débattu, mais l'autre était plus fort et l'a expulsé. Elles ont eu l'explication de son attitude par un usager qui arrivait, comme lui, de l'église d'en face où avait lieu une collecte de sang. L'homme était sorti enragé de la cabine où une infirmière lui posait les questions de son formulaire. Il n'avait pas supporté qu'elle lui demande s'il avait déjà eu un partenaire masculin souffrant du sida. Cette histoire les a secouées. Elles sont accoutumées aux hurluberlus, mais celui-là s'exprimait avec une violence inusitée. Selon Jeannette, la seule à avoir croisé son regard, il avait dans les yeux un vacillement qui glaçait. Il n'y avait heureusement pas d'enfants à ce moment-là.

Souvent, l'après-midi, la bibliothèque reçoit des groupes scolaires du quartier qui viennent échanger leurs livres. Diane aime bien les voir arriver. Cela change de l'habituel silence plein de componction. Les garçons débarquent comme on attaque une diligence, sous les *Chut!* impérieux et inefficaces de leur enseignante qui regarde piteusement le personnel avec un geste d'excuse. Les filles sont moins agitées, ce qui ne les empêche pas de se bousculer pour avoir une place autour de la table ronde du fond, celle d'où on ne les voit pas du comptoir de prêt, ce qui leur permet de se chuchoter des secrets en ayant l'impression d'être bien cachées. Quand l'une d'elles se lève pour choisir un livre, une autre lui garde sa chaise, et celles qui sont exclues du cénacle les regardent avec envie, en chuchotant également et en les montrant du doigt pour les faire enrager. Parfois la situation dégénère, mais cela va rarement jusqu'aux larmes. Lorsque le chef de meute a jeté son dévolu sur un titre, elles veulent toutes le même, à la rigueur un du même auteur, et boudent parce qu'on ne peut pas les satisfaire. Parmi les garçons, il y en a toujours un doté d'une culture encyclopédique aussi exhaustive que pointue qui s'étonne et se scandalise de la maigreur de leur fond en matière de samouraïs ou de pierres lunaires. Pendant que la bibliothécaire est aux prises avec lui, ses camarades en profitent pour se poursuivre entre les rayons ou s'enfermer dans les toilettes.

Quand Claire était au primaire et venait avec son école, elle était fière de dire que sa mère était bibliothécaire. Ce statut lui valait de la part de ses amies le respect que l'on doit à celle qui reçoit chez elle. Et c'était un peu de cela qu'il s'agissait : Claire connaissait la bibliothèque de fond en comble et rares étaient les livres de la section jeunesse qu'elle n'avait pas lus. D'ailleurs, elle avait bénéficié d'une dispense spéciale pour avoir le droit d'en emprunter chez les adultes deux ou trois ans avant l'âge requis. Claire adorait la bibliothèque. Lors des congés pédagogiques, Diane l'emmenait et elle passait la journée à lire, à reclasser les volumes sous la supervision d'une employée que cela amusait de l'initier, à choisir le contenu d'une vitrine proposant des titres aux jeunes lecteurs. Elle déclarait qu'elle serait bibliothécaire, comme maman. Avec des enfants du préscolaire ou du primaire, elle serait merveilleuse. Diane l'a vue remplacer Yvette à *L'heure du conte*, et elle était tout à fait dans son élément. Elle ferait une mère formidable.

— Ça va ? demande Michel, soucieux.
— Oui, ne t'inquiète pas.

Perdue dans ses réminiscences, elle a oublié qu'elle était dans cette auto avec son mari. Pour ne pas aggraver son anxiété, il faut qu'elle contrôle les soupirs qui dénoncent la sienne.

Malgré l'assurance de Diane que tout va bien, Michel annonce un arrêt à la prochaine sortie. Ils sont à peine à mi-chemin de Québec, très loin de leur destination. Il fait le plein d'essence en feignant de ne pas remarquer qu'elle se dirige vers les téléphones et ne pose pas de questions lorsqu'elle le rejoint. C'est inutile : si Claire avait répondu, le visage de Diane se serait éclairé et son corps redressé. Et puis, elle aurait probablement crié, l'aurait appelé, sa joie aurait irradié. Ils s'efforcent de manger un muffin pour accompagner le café. À ce rythme, à leur arrivée, ils en auront bu des litres.

La route, de nouveau, et la radio. Ils tombent cette fois sur les nouvelles locales. Les ours noirs sont affamés et s'approchent des résidences en quête de nourriture. Hier, à Charlesbourg, un ours s'est aventuré près d'une maison et a dû être neutralisé par des agents de la faune qui l'ont endormi et transporté loin des habitations. La semaine dernière, c'était à L'Ancienne-Lorette qu'une mère ourse et ses petits avaient été surpris en train de manger des pommes dans un verger. Un représentant du ministère des Ressources naturelles et de la Faune, convoqué à titre d'expert, donne la raison du phénomène : *Quand il ne trouve pas ce qu'il lui faut en forêt, l'ours commence à sortir de sa zone forestière. Ce n'est pas par choix qu'il s'approche des humains. Le temps pluvieux a affecté la croissance des petits fruits dont il se nourrit principalement. En ce moment, les ours doivent manger pour accumuler des graisses. Ils cherchent de la nourriture vingt heures sur vingt-quatre.*

— Tu crois… ?

— Non, l'interrompt Michel. Elle est au bord du fleuve, pas dans la forêt.

— Charlesbourg et L'Ancienne-Lorette ne sont pas dans la forêt non plus.

— Presque. Alors que Claire est dans une région agricole. Les ours fouillent les poubelles. Elle vit seule et tu sais comment elle mange, sa poubelle ne peut pas être attrayante pour un animal.

En fait, il n'en sait rien : s'il parle avec autorité, c'est juste pour la rassurer. Il est ainsi, toujours à la protéger. Elle voudrait elle aussi jouer ce rôle auprès de lui. Pourtant, trop souvent, sans mesurer l'impact qu'elle aura, elle lâche la petite phrase qu'il aurait mieux valu taire. Cette fois, elle arrive à se retenir, mais elle est sûre qu'il y a des forêts dans les environs. Au Québec, la forêt n'est jamais loin.

— Et puis, ajoute-t-il, il y a la chienne. Au moindre danger, elle l'avertirait et Claire pourrait se mettre à l'abri.

C'est vrai qu'elle a Elfie. Lorsqu'elle a parlé d'avoir un chien, tout le monde a essayé de la décourager, Diane la première. Elle lui a décrit les femmes qu'elle voit au parc quand elle va courir. À sept heures du matin, blêmes, pas peignées, un manteau enfilé sur la première chose qui leur est tombée sous la main, elles suivent leur animal jusqu'à ce qu'il s'arrête et le regardent d'un œil morne faire son petit tas, qu'elles ramassent ensuite d'un air dégoûté avec leur sac d'épicerie. *Il y a sans doute aussi des hommes, non?* avait demandé Claire. Avant qu'elle puisse répondre qu'elle les remarquait moins, probablement parce que le matin ils paraissaient moins amochés, Jean-Louis était intervenu: *Pas d'homme pour promener le chien chez nous. Je suis contre l'idée d'en avoir un et je ne m'en occuperai pas.* Mais rien n'avait pu la faire changer d'avis. Lui non plus, d'ailleurs; Diane n'a jamais entendu dire qu'il avait promené Elfie. Il est vrai qu'il avait sans doute d'autres occupations, comme ils viennent de le découvrir. Diane doit maintenant admettre que sa fille a eu raison d'adopter la chienne: ainsi, elle n'est pas tout à fait seule. En plus, elle est bien tombée: c'est une bonne bête, aimable, affectueuse. Après avoir averti sa fille de ne pas compter sur eux pour la garder, Diane a craqué et proposé de la prendre chaque fois qu'ils sont allés passer quelques jours à Val-d'Or, alors que Claire n'aurait pas osé le leur demander. Il est vrai qu'elle était poussée par Michel. En fait, quand la chienne est chez eux, c'est lui qui la sort et la nourrit. Il s'en est entiché et dit, de temps à autre, qu'ils pourraient avoir un chien eux aussi lorsqu'ils seront à la retraite. Pourquoi pas? Elle sent que cela lui ferait tellement plaisir qu'elle essaie d'effacer les visions de pattes mouillées sur le velours de son fauteuil préféré qui s'imposent à elle quand elle croise des chiens au parc les jours de pluie ou de neige.

Leur silence est d'autant plus pesant qu'il est inhabituel. En voiture ils parlent de toutes sortes de choses. Le lieu s'y prête: comme ils sont enfermés pour des heures, n'ayant rien d'autre à faire que regarder défiler la route, les mots viennent facilement. Des anecdotes, des confidences, des souvenirs, des projets. Quand le but est particulièrement éloigné, comme l'été où ils sont allés en Gaspésie, ils choisissent avant le départ de vieilles chansons pour chanter à tue-tête avec Renée Claude, Jean-Pierre Ferland ou Félix Leclerc, comme des écoliers en voyage scolaire. Pas de chansons aujourd'hui. Même les quelques mots nécessaires ont du mal à franchir la gorge serrée de Diane, et Michel a le visage fermé et les mains crispées sur le volant. Elle veut se persuader qu'ils ont tort d'être inquiets : Claire aime la vie. Elle aura débranché le téléphone pour travailler en paix. Quand elle a choisi Isidore Beaulieu comme sujet, Diane a été soulagée. Claire avait d'abord parlé de réaliser un documentaire sur les femmes dans les années soixante. Curieuse idée! Diane n'aurait pas imaginé que la période de sa jeunesse intéressait sa fille. Claire lui avait fait remarquer que c'était un temps de grands bouleversements au sujet duquel Diane pourrait lui donner des informations de première main. Claire avait même émis la possibilité de la faire figurer dans le film. Diane s'était récriée qu'elle n'avait rien à dire. Quand tous ces changements de société s'étaient produits, elle avait le nez dessus et n'y avait pas compris grand-chose. Les questions de sa fille l'avaient obligée à y repenser, et elle s'était rendu compte de sa naïveté de l'époque, et aussi — cela la gênerait un peu de le lui avouer parce qu'elle aurait l'air d'une idiote — de son désintérêt. *Maman, tu lisais* Parti pris *? Non, ma chouette, je ne savais même pas que ça existait.* Quand les faits sont devenus de l'Histoire, qu'ils sont répertoriés, analysés, décortiqués, on s'imagine que les gens qui les ont vécus comprenaient leur impact. Rien de plus faux. Évidemment, au moment de la Crise d'octobre, tout le monde était conscient de sa gravité, mais ils n'ont réalisé que par la suite ce qui avait conduit à cela grâce aux reportages, aux débats, aux témoignages. Les événements dont Claire veut qu'elle lui parle correspondent à la période de son divorce. Diane n'est pas sûre d'avoir vraiment envie de se rappeler ce trou noir qui a duré des semaines, ou bien des mois, ou plus longtemps encore. Même si elle sait maintenant qu'avec Alain elle n'aurait pas été heureuse, sur le moment, elle était désespérée. Comme Claire doit l'être. À elle aussi, le temps prouvera sans doute que cette rupture aura mené à une existence meilleure, plus épanouie et plus heureuse, mais il faut avoir la force de franchir le cap de l'incompréhension, de la colère et du dégoût de vivre.

Diane s'en veut de ne pas avoir deviné que sa fille avait besoin d'elle. Ils auraient pu y aller tout de suite, dès qu'elle a su que Jean-Louis était parti en Afrique, ce qui était déjà une trahison. Même s'il n'y avait pas eu, en plus, cette affaire avec Florence, c'était inacceptable. Il faut qu'il soit doté d'une capacité de dissimulation peu commune pour être parvenu à faire tous les préparatifs, tant administratifs que matériels, sans lui en parler et sans qu'elle s'en doute. Du coup, la tentation est forte de revoir toutes les années passées à l'aune de ce nouvel éclairage sur sa personnalité. On ne devient pas menteur, roublard et hypocrite du jour au lendemain. En dix ans, il a dû lui en faire avaler des couleuvres. Est-ce que Claire est en train de penser cela ? Non, c'est trop tôt. Avant, il faut qu'elle cesse de croire que sa vie est finie, que sans Jean-Louis elle n'est plus rien. C'est pourquoi ils devraient être auprès d'elle.

Comme s'il n'y avait pas eu ce grand silence depuis sa dernière phrase, Michel remarque que c'est bien que Claire ait Elfie.

— Elle a toujours aimé les animaux. Tu te souviens quand elle était petite ? Elle voulait déjà un chien.

Si elle s'en souvient ! Michel aurait été d'accord, mais elle s'y était opposée de toutes ses forces parce qu'il avait de lourds horaires de travail et n'aurait pas pu le sortir. Quant aux enfants, on sait bien qu'ils promettent de s'occuper des animaux — *Je te jure, maman, c'est moi qui ferai tout* —, mais que leurs bonnes résolutions ne franchissent pas le cap de la première semaine. Le chien aurait été entièrement à sa charge. Elle avait aussi résisté au chat parce qu'elle ne les aime plus depuis que celui de sa belle-mère — la première — l'a griffée au bras alors qu'elle lui tendait gentiment la main pour le caresser afin de plaire à sa maîtresse. Tentative ratée : la mégère l'a surveillée d'un regard suspicieux pendant toute la visite, persuadée qu'elle avait fait des misères à son chéri. C'était le jour où Alain la lui avait présentée : un mauvais départ. Sa belle-mère ne l'a jamais aimée et a dû être soulagée qu'il la quitte. En tout cas, elle en a profité pour cesser aussitôt toute relation. Pas un mot de regret ou de compassion. Maudit chat ! Et maudite vieille aigrie ! Comment cela va-t-il se passer entre Claire et les parents de Jean-Louis ? Val-d'Or est trop loin de Montréal pour s'y rendre souvent, et elle n'a pas développé avec eux de véritable intimité. Cependant, elle n'en a jamais parlé en mal, pas plus que de sa sœur Josée. La rupture d'un couple en entraîne une série d'autres. Quoique moins graves, elles ajoutent au désarroi, surtout quand il s'agit d'amis proches qui optent pour *l'autre*.

Diane est très liée avec sa belle-mère, plus qu'avec sa mère. Madame Gadelier est parfois un peu encombrante mais avec de bonnes intentions. Michel a souvent dit à sa femme, quand il pensait qu'elle se mêlait trop des affaires de Claire : *Attention, tu deviens comme ma mère !* Cela les a rapprochées, ce souci de Claire, surtout depuis que celle-ci a quitté la maison. Elles l'appellent à tour de rôle et se donnent des nouvelles, ce qui leur permet de se sentir moins importunes. En ce moment, elle est en Floride avec son mari. Ils sont partis à peu près en même temps que Claire. Afin de ne pas multiplier les interurbains, c'est avec Michel et Diane qu'elle communique pour savoir comment va sa petite-fille, et Diane ne lui a pas parlé de ses inquiétudes. Au prochain appel, il faudra qu'elle lui apprenne la vérité. Quelle que soit cette vérité. Dès qu'une pensée de ce genre l'effleure, elle suscite des souvenirs de moments heureux pour la combattre.

Quand elle était enfant, Claire réussissait à obtenir qu'ils lui offrent, pour la consoler du chien ou du chat refusés, de petits animaux domestiques dont ils croyaient naïvement qu'ils ne donneraient aucun souci.

Il y a eu d'abord les poissons. Ce n'est pas très intéressant, un poisson, sauf quand il se jette sur la nourriture comme un affamé, même s'il vient de manger. Ils sont tous morts d'indigestion dans des délais assez brefs. Quand ils flottaient le ventre en l'air, Claire arrivait en braillant : *Frisbee est mort !* Pourquoi se sont-ils tous appelés Frisbee ? Ou, plutôt, pourquoi le premier s'est-il appelé ainsi ? Parce que pour les suivants, c'est évident : un poisson rouge ressemble comme un clone à un autre poisson rouge. Ensuite, le hamster. Grosse déception : c'est un animal nocturne qui s'agite toute la nuit sur sa roue et dort le jour. La vendeuse de l'animalerie s'était bien gardée de les prévenir. Quand il a tiré sa révérence après quelques mois, Claire a pleuré. Pas Diane : elle avait horreur de nettoyer sa cage. Quand la fillette a réclamé un rat, elle a été ferme : elle a déclaré solennellement, autant pour elle que pour Michel, qui aurait pu se laisser aller à lui en faire la surprise, que si un rat entrait dans la maison, elle en sortirait et ne reviendrait PLUS JAMAIS. Elle en a profité pour les avertir que c'était également valable pour tout autre rongeur à longue queue et tout animal à sang froid. Ils ont compris qu'elle ne plaisantait pas et ont envisagé d'autres solutions. C'est ainsi que Pipelette la perruche a fait irruption dans leur vie.

— Tu te souviens de Pipelette ?

Oui, il s'en souvient. Ils s'aimaient bien tous les deux. Elle se posait sur sa tête quand il travaillait à son bureau ; installée dans ses cheveux frisés, elle ébouriffait ses plumes, comme si c'était un nid. Il bougeait le moins possible pour ne pas l'effaroucher. Ce n'est certainement pas le bon verbe : rien ne pouvait l'effrayer, elle était curieuse de tout. De la tête de Michel, elle passait à la branche de ses lunettes pour frapper au carreau. Il lui donnait alors son doigt en guise de perchoir et la conduisait à la grande plante du salon, un véritable arbre, qu'elle a dépouillé méticuleusement de toutes ses feuilles une à une jusqu'à ce qu'il ne reste que le tronc et les branches, transformant ce coin de pièce en zone désertique. Pipelette, ils l'aimaient, même si elle les poussait jusqu'aux limites de l'exaspération : tout était déchiqueté à coups de bec, il y avait des plumes partout, sans compter les petites boules grisâtres, semblables à des grains de poivre, qu'elle semait avec une constance de métronome. Et tout cela en jacassant à tue-tête. *Sérieusement, maman, on ne peut pas appeler ça un chant : elle crie !* Après sa disparition, ils ont encore trouvé des traces de sa présence pendant des mois. Car elle a fini par les quitter, profitant d'une fenêtre malencontreusement restée ouverte, victime de sa curiosité et de sa soif d'indépendance.

C'est Claire qui l'a vue s'enfuir. Quand elle a surgi dans la salle de lavage, elle a alarmé Diane. Son visage était convulsé et elle n'arrivait pas à articuler. Elle a tiré sa mère par le bras et l'a entraînée dans le jardin. Elles ont découvert Pipelette sur le pommier, juste en face de la fenêtre de la cuisine, presque à portée de main. Claire voulait que sa mère essaie de l'attraper, mais Diane lui a dit que cela l'effrayerait et qu'il fallait au contraire lui parler doucement sans faire de gestes brusques. Elles ont commencé d'appeler : *Pipelette ! Pipelette !* Elle les regardait du haut de sa branche, penchait la tête d'un côté et de l'autre avec l'air d'écouter puis, soudainement, elle s'est envolée vers l'érable du jardin voisin. Elles ont continué de l'appeler depuis la ruelle, car il n'était pas question de s'introduire chez madame Surprenant, qui les observait de sa porte avec férocité. Elle n'aime pas les enfants parce qu'ils jouent bruyamment, ni les chiens parce qu'ils aboient, ni les voisins parce qu'ils existent, et elle semblait attendre qu'elles mettent un pied dans sa cour pour leur faire Dieu sait quoi. Après une pause, la perruche a quitté ces lieux inhospitaliers pour passer dans le jardin suivant. Elles sont entrées dans celui-là, mais Pipelette ne s'est pas laissé séduire par leurs invitations à venir se percher sur leurs index tendus et elle a continué de fuir. La ruelle a résonné longtemps de leurs appels, auxquels s'étaient joints ceux de quelques voisins apitoyés, jusqu'à ce que la perruche franchisse le boulevard et qu'elles ne parviennent plus à la repérer. Claire, inconsolable, ne voulait pas quitter l'endroit où elle l'avait aperçue pour la dernière fois. Elle n'est retournée à la maison que lorsqu'elle a vu arriver la voiture de son père. Alors, elle s'est précipitée pour lui raconter la tragédie et ils sont repartis tous les deux en quête de la fugitive. Diane ne se souvient pas de ce qu'il avait fallu lui promettre pour la convaincre de cesser les recherches. Pas un animal, en tout cas : après Pipelette, ils n'en ont plus eu, lassés de ces minidrames qui marquaient la fin de leur existence.

— Maurice m'a parlé de deux jeunes, des frères, qui voudraient reprendre l'atelier.

Depuis qu'ils ont décidé de passer la main, ils ont vu défiler un certain nombre d'acheteurs potentiels attirés par leur petite entreprise de graphisme, saine et bien rodée. Seulement, avec la crise il est difficile d'emprunter.

— Ces deux-là ont l'air plus solides. Leurs parents sont prêts à les aider en hypothéquant leur maison. Évidemment, il reste à voir si la banque va juger que ça suffit.

— Maurice les a rencontrés ?

— Oui. Ils sont déjà venus visiter un jour où j'étais chez un client. Ils lui ont fait une bonne impression. Ils reviennent lundi.

— Ce serait bien que ça marche.

Il soupire. Ses soupirs de lassitude sont de plus en plus fréquents, mais elle ne croit pas qu'il s'en rende compte.

— Tu sais que j'ai eu du mal à prendre la décision, plus encore que Maurice, mais là, j'ai hâte que ce soit terminé.

— Est-ce que ça pourrait aller vite ?

— Pas vraiment. Il faudra quelques mois. Mais ils ont dit que lorsqu'il y aurait un accord de principe, ils aimeraient travailler pour nous de manière que la transition soit plus facile. On pourrait diminuer progressivement.

Pourvu que la banque accepte! Alors qu'il n'y a pas si longtemps, il décrivait avec enthousiasme chaque nouveau contrat, il ne parle maintenant que des mauvais côtés: les erreurs, les retards, les exigences ridicules des clients. Il est clair qu'il a envie d'arrêter son activité professionnelle. Quand il a commencé de l'envisager il y a quelques mois, c'était dans le but de réaliser de vieux projets. Il a toujours regretté de ne pas pouvoir consacrer sa vie à la peinture, ce que la nécessité de gagner sa vie l'a empêché de faire. Bien qu'il l'ait aimé, le métier de graphiste n'a pas comblé ses aspirations artistiques. Dès leur emménagement, il a rêvé de construire, à l'arrière de la maison, une annexe avec une verrière pour avoir un atelier. Ce serait aussi une serre, une sorte de serre-atelier pour peindre au milieu des fleurs avec la neige au-dehors. Il était admis qu'il le ferait aussitôt qu'il aurait le temps, c'est-à-dire à sa retraite, mais il n'en parle plus. Pas plus que de cette croisière sur le Nil envisagée et repoussée depuis des années. La fatigue l'écrase et amortit tout projet d'avenir. Il a les traits tirés et le teint gris. Elle se retient de lui en parler: cela ne servirait qu'à alourdir encore l'atmosphère dans cette voiture où chacun craint et souffre de son côté, mais dès qu'ils seront de retour à Montréal, elle insistera pour qu'il consulte un médecin. Si Claire n'a pas trop besoin d'eux. Si elle va bien.

Quand elle est née, ils l'ont considérée comme un miracle. Ils n'y croyaient plus après des années d'espoirs déçus. Le docteur n'était pas favorable aux traitements de fertilité pour elle ne sait plus quelle raison médicale et ils commençaient de songer à l'adoption. Et puis, au mois de septembre, après des vacances dans un chalet des Laurentides où ils avaient passé trois semaines à nager nus dans le lac et à faire l'amour avec autant de fougue que lorsqu'ils s'étaient rencontrés, elle n'avait pas eu ses règles. Elle n'avait rien dit, pour conjurer le sort. Quand elle s'était enfin présentée au docteur Thibaut, elle était enceinte de quatre mois. Il était tellement fâché ! *Une grossesse doit être suivie de près, surtout à votre âge. Il aurait pu arriver n'importe quoi.* Eh bien, ce n'était pas arrivé et la période critique était terminée. Elle était rentrée à la maison, avait préparé un bon souper, placé des chandelles sur la table et l'avait annoncé à Michel. Il avait pleuré de joie.

Claire aurait pu tout aussi bien travailler à Montréal entre deux séances de tournage. Il y a une grosse partie des activités préparatoires qui ne pâtissent pas d'être effectuées n'importe où : les lectures, la rédaction du scénario… Ils auraient été à proximité pour l'aider. Et si Claire avait été présente, Jean-Louis aurait été obligé de lui dire qu'il partait. Il y aurait eu une explication et le choc aurait été moindre. Quoique… Un abandon est un abandon, quelles que soient les formes que l'on y met. Tout de même, l'apprendre par une lettre ! Et ensuite, découvrir le pot aux roses au téléphone. Pourquoi a-t-il agi ainsi ? Par lâcheté, suppose Diane. Le pourfendeur des méchants, toujours prêt à attaquer les gouvernements et les multinationales, n'a pas osé affronter une jeune femme qu'il prétend aimer depuis dix ans. Et Florence… Florence qui ne le lui a pas dit. Elles ne se cachaient rien, passaient leurs soirées au téléphone, se rappelaient juste après avoir raccroché. Ils avaient dû faire installer une deuxième ligne pour que Michel ne risque pas de rater un appel professionnel. Vers l'âge de treize ans, elles étaient tombées amoureuses du même garçon sans que cela affecte leur amitié. Elle parlaient de lui sans arrêt, avec des voix enamourées, et commentaient pendant des heures le moindre regard dans leur direction, se demandant laquelle des deux il préférait. En réalité, c'était Carolane, qui était

souvent avec elles, ce qui expliquait les regards. Elles avaient partagé ce petit chagrin d'amour comme tout le reste. Par la suite,
quand elles ont eu de vrais amoureux, les sorties avaient lieu à
quatre. Florence a fait la connaissance de Marc à peu près au
moment où Claire a rencontré Jean-Louis, et ils ont aussitôt
formé un quatuor qui, lorsqu'ils étaient étudiants, se retrouvait
plusieurs soirées par semaine chez les uns ou les autres. Quand ils
ont commencé de travailler, il y a eu forcément des ajustements,
mais ils se voyaient les fins de semaine et sont même partis en
vacances ensemble plusieurs fois. Comme trois d'entre eux
avaient été engagés dans la même entreprise, la dynamique du
groupe s'était modifiée. Leurs échanges tournaient essentiellement autour de leurs projets professionnels et Claire devait se
sentir un peu à l'écart, même si elle ne s'en est jamais plainte.
Cependant, les deux filles ont continué de se voir seules et d'avoir
des conversations personnelles. Diane se demande comment
Florence s'y est prise pour mettre fin à ces rencontres. À moins
qu'elles n'aient persisté, mais elle ne le croit pas. Elle ne peut pas
imaginer Florence à l'aise dans un rôle de dissimulatrice.

Les deux filles sont tellement dissemblables qu'il est difficile de
concevoir qu'un homme ayant été amoureux de l'une puisse l'être
de l'autre. Claire, c'est la douceur et la fantaisie, les longs cheveux
et les robes d'artiste, toutes ces qualités qui sont aux antipodes de
la nature pragmatique de Jean-Louis et qu'il prétendait tant apprécier. *Tu es mon contraire*, disait-il, *et c'est pour ça que je t'aime.*
Florence lui ressemble davantage : des cheveux courts aux vêtements commodes, elle est toujours dans le concret. Les tempéraments des deux filles s'opposent aussi : Claire est persévérante et
réfléchie, mais avec une sensibilité à fleur de peau qui la rend
facile à gagner à sa cause quand on la prend par les sentiments ;
Florence est bruyante, enthousiaste, brouillonne. Et moins facile
à manipuler. Jean-Louis ne tardera pas à le découvrir. Il faisait
depuis si longtemps partie de la vie de Claire — et de celle de ses

parents, par voie de conséquence — qu'il va leur manquer à eux aussi. Ils disaient : *Les enfants viennent souper. Les enfants partent en vacances avec leurs amis...* Cependant, Diane n'a pas le souvenir d'avoir jamais eu avec lui une conversation intime, même à l'époque où il vivait à la maison, pendant la maladie de Claire. Michel, peut-être ? Avant de prendre le temps de penser que ce n'est pas une bonne idée, elle lui pose la question. Son visage se durcit.

— Je n'ai pas envie de parler de lui.

Une fois de plus, elle aurait dû se taire. Il doit être furieux. Furieux et blessé. Il a toujours été si protecteur avec sa petite fille que la seule évocation de l'homme qui la fait souffrir doit lui donner des pulsions de violence, même s'il est profondément pacifique. Il ne faut pas toucher à Claire. Quand elle avait du chagrin, enfant, il était prêt à tout pour l'aider à l'oublier, mais les enfants grandissent et il devient moins facile de les distraire de leur peine.

La circulation s'intensifie : ils approchent de Québec.

— Je propose qu'on roule encore un peu et qu'on mange plus loin.

Elle acquiesce. Elle n'a pas faim. La seule chose qu'elle regrette en voyant une aire de repos, c'est de rater une occasion de téléphoner. Soudain, elle n'y tient plus et prétend avoir besoin d'aller aux toilettes. Il s'engage docilement dans la sortie suivante, descend de voiture pour se dégourdir les jambes et regarde de l'autre côté pendant qu'elle se dirige vers la cabine. Il ne lui a pas dit qu'elle a tort, mais il le pense, et à juste titre ; elle ne peut toutefois pas s'en empêcher. Elle remonte dans le véhicule la gorge serrée.

C'est l'heure des informations et ils écoutent le présentateur déverser son flot de mauvaises nouvelles : *L'enfouissement des déchets radioactifs est un engrenage infernal, ces déchets seront une épée de Damoclès pour des centaines de générations. L'opposition réclame une enquête publique sur l'industrie de la construction.*

Comme le chef du gouvernement ne semble pas prêt à céder, ses adversaires politiques se demandent ce qu'il veut cacher. Michel amorce le geste d'éteindre la radio quand l'animateur annonce un reportage sur la Côte-de-Beaupré et l'île d'Orléans. Comme justement ils y arrivent, il repose la main sur le volant. Ils apprennent ainsi que la région bénéficie d'un microclimat qui a permis de planter sept vignobles. Une route des vins destinée à les faire découvrir leur est présentée avec force détails, descriptions et entrevues avec les viticulteurs.

— C'est une idée pour les prochaines vacances, tu ne crois pas ?

Il grogne une réponse difficile à interpréter, mais elle ne lui demande pas de répéter. Sa proposition n'en était pas vraiment une. Elle parlait pour parler, faire un peu de bruit, essayer de se voir dans l'avenir avec un but futile et plaisant. Mais Michel ne joue pas, il en est incapable. Quand Claire a été très malade après sa première année de bac, il n'ouvrait presque plus la bouche.

En quelques semaines, elle avait maigri et perdu ses forces. Les médecins avaient évoqué une anémie ou la mononucléose et conseillé le repos. Comme elle ne se rétablissait pas, ils avaient ordonné des analyses, mais, n'ayant rien trouvé, ils avaient répété qu'avec du sommeil et une bonne alimentation elle allait se remettre. Au contraire elle s'affaiblissait. Il y avait eu de nouvelles analyses, sans plus de résultats, et elle s'était fait renvoyer par les médecins avec de plus en plus d'humeur : puisqu'elle n'avait rien, elle devait déployer des efforts, manger davantage et bouger, cela se résoudrait tout seul. C'est Jean-Louis qui avait alerté les parents de Claire, dépassé par la situation lorsqu'elle n'avait plus été capable de se lever. Elle refusait qu'il le leur dise, sachant qu'ils voudraient la reprendre à la maison pour mieux veiller sur elle. C'était évidemment ce qu'ils avaient fait, profitant de sa faiblesse qui l'empêchait de s'y opposer. Jean-Louis avait été soulagé de les voir la prendre en charge, ce qui ne signifiait pas qu'il s'était dérobé. Au contraire : il était resté là tout le temps de la maladie, qui avait duré des mois. Il dormait dans la chambre d'amis et passait des heures assis à côté de son lit à lui parler ou à lui tenir la main. Diane avait demandé à travailler à mi-temps, et Jean-Louis avait concentré ses cours de manière que l'un des deux soit toujours là. Michel s'occupait d'elle la fin de semaine pour qu'ils puissent récupérer un peu. Cette période avait été terrible : ils ne savaient pas ce qu'elle avait et n'étaient pas sûrs qu'elle guérirait. À force d'être couchée, ses longs cheveux avaient fait des nœuds et il n'était plus possible de les démêler. Un jour, Diane s'était résignée à les lui couper. Elle n'oubliera jamais le visage de Jean-Louis quand il l'avait découverte avec sa pitoyable chevelure mal taillée. Il était ressorti de la chambre en invoquant un prétexte inaudible. Au retour, il avait les yeux rouges. Tout le temps de sa maladie, il n'avait quitté Claire que pour aller à l'université. Même si maintenant ils lui en veulent, ils ne doivent pas l'oublier : s'il l'avait abandonnée dans ces circonstances, elle n'aurait pas eu la force de guérir. Et Florence était venue tous les jours. En la voyant entrer dans la chambre, le visage creusé de leur fille prenait un semblant de couleur. Elle aussi, ils doivent la créditer de cette générosité, malgré la colère et la rancune qu'ils ressentent aujourd'hui à son égard.

Claire a continué de s'affaiblir jusqu'à ce qu'elle fasse une syncope, un jour où sa mère et Jean-Louis étaient heureusement présents tous les deux. Diane a été seule admise dans l'ambulance et il a suivi par ses propres moyens après avoir téléphoné à Michel. Ce qui s'est produit ensuite reste confus dans ses souvenirs : elle était isolée dans un coin du véhicule, les infirmiers s'agitaient, ils sont arrivés à l'hôpital où Claire a été aussitôt prise en charge. Diane été refoulée dans une salle où Michel et Jean-Louis l'ont rejointe. Ils étaient silencieux, ne pleuraient pas, en attente de ce qui ne pouvait être que de mauvaises nouvelles. Des heures plus tard, un jeune médecin est venu leur parler. Il voulait savoir depuis combien de temps elle était dans cet état et a commencé de hausser le ton en disant qu'ils étaient des criminels de l'avoir laissée dépérir sans la soigner. Jean-Louis a fait un mouvement pour se jeter sur lui, mais Michel, qui avait anticipé son geste, l'a retenu. Pendant que Jean-Louis écumait de rage, Michel a réussi à expliquer calmement au docteur tout le déroulement de la maladie de Claire. Il a précisé qu'elle s'était rendue à plusieurs reprises au centre médical, qu'elle avait subi plusieurs batteries d'analyses et que les médecins — ce n'était jamais le même — avaient dit chaque fois qu'elle n'avait rien et avait seulement besoin de repos. Le docteur s'est excusé. Il leur a promis qu'il s'en occupait et qu'elle irait mieux très vite. Ils n'ont jamais su précisément de quelle maladie elle avait souffert, mais le médecin a tenu parole : elle a guéri. Une semaine après sa prise en charge, elle a quitté l'hôpital et a commencé peu à peu de recouvrer ses forces. La convalescence a été longue parce que son organisme était épuisé, mais ils la voyaient se rétablir et avaient retrouvé l'espoir. Un après-midi où elle n'aurait pas dû être à la maison, Diane a entendu des bruits inhabituels venant de la chambre de sa fille. Toujours prête à croire qu'il était arrivé une catastrophe, elle s'est précipitée et a ouvert la porte. Jean-Louis était dans le lit de Claire et ils étaient en train de faire l'amour. Le bonheur lui a coupé le souffle.

— Ça te convient de manger à la première sortie après Québec ?

Elle n'a pas faim, mais il faut bien s'alimenter. Alors, là ou ailleurs, maintenant ou plus tard…

Michel s'installe pendant qu'elle accomplit ce qui est devenu le rituel de la cabine téléphonique. Elle compose le numéro en se disant qu'il n'y aura pas de réponse et que cela ne prouve rien, mais elle ne peut pourtant pas s'empêcher d'en être bouleversée. En se dirigeant vers la table où est assis son mari, elle le voit porter la main à sa poitrine en faisant une grimace de douleur.

— Ça ne va pas ?

— Des brûlures d'estomac, ce n'est rien. Ne t'inquiète pas.

Il met dans son verre une capsule antiacide et le remplit d'eau.

— Ça me soulage d'habitude.

Elle s'assoit en face de lui, prend la carte et la parcourt avec dégoût, persuadée qu'elle ne pourra rien avaler.

— Une soupe, peut-être? suggère-t-il.

Il a raison. La soupe est bonne, et ils vident leur bol tous les deux. Mais ils s'en tiennent à ça: rien de solide ne passerait.

Les voilà de nouveau partis. Malgré sa réprobation tacite, elle est retournée à la cabine téléphonique. Ils sont maintenant sur la route 138, l'ultime étape du voyage. D'ici une heure ou à peine plus, ils arriveront à la résidence de Claire, leur fille qui ne répond pas au téléphone. La dernière fois que Diane lui a parlé, après l'avoir longuement appelée en vain, Claire lui a dit qu'elle travaillait et ne devait pas s'interrompre pour éviter de couper le fil de l'inspiration. Aurait-elle débranché l'appareil afin qu'on ne la dérange pas? Rien n'indique qu'ils ne la trouveront pas au bout du chemin. Il y a juste ce téléphone qui sonne dans le vide, la trahison de son amour et de sa meilleure amie, sa vie qui vient d'éclater.

— Ça ne va pas? Tu veux que je m'arrête?

— Non. Pourquoi?

— Tu as gémi.

— Ah…

Elle le regarde et, s'apercevant qu'il est de plus en plus mal en point, lui repropose de conduire. Il refuse d'une voix hésitante qui la pousse à insister, et il accepte assez rapidement, ce qui n'est pas de bon augure. Elle lui demande s'il souffre. Il l'assure que non, il est simplement fatigué. Ils changent de place. Les dents soudées, elle s'engage sur cette route 138 qui traverse une contrée réputée pour être magnifique, surtout sous le soleil de septembre, mais dont elle ne voit que la piste d'asphalte qui monte, descend, tourne, suivant les courbes du fleuve, et qui la terrorise. Elle jette des coups d'œil inquiets au rétroviseur et ce qu'elle redoute finit par survenir : un fardier lourdement chargé de billots qui s'approche rapidement est obligé de freiner parce qu'elle ne va pas assez vite. Au bas de la côte, il y a un virage dont elle ignore s'il est serré ou pas. Elle voudrait ralentir, ce qu'elle ferait s'il n'était pas derrière elle, mais elle n'ose pas de peur qu'il soit incapable d'en faire autant et les percute. Le virage approche trop vite, elle se crispe sur le volant. La voix de Michel s'élève, rassurante.

— Détends-toi. Tu roules à la bonne vitesse, tout va bien.

Le virage se révèle moins difficile qu'elle ne le craignait et la ligne droite qui suit est complètement déserte. Le fardier amorce son dépassement. En arrivant à sa hauteur, il lui fait un doigt d'honneur puis s'éloigne tandis qu'elle respire. L'heure qui suit est interminable. Michel ne bronche pas : pas un mot, pas un geste. Son silence est anormal : habituellement, quand elle conduit, il ne peut s'empêcher de lui donner des conseils. Malgré sa répugnance à quitter la route du regard ne serait-ce qu'un instant, elle lui jette un coup d'œil. Il a les yeux clos et les traits tirés, l'air malade. Elle espère que ce n'est rien de plus que son souci pour Claire qui le ravage à ce point. Ils passent un village, puis un autre. Le suivant sera le bon. Plus elle approche, plus elle se sent mal.

Voici enfin les premières maisons. Elle ralentit pour lire les numéros et constate qu'elle est allée trop loin. Pourtant, elle n'a pas vu d'habitations au bord de la route. Elle se gare. Michel ouvre les yeux.

— Je me suis assoupi. Nous sommes arrivés ?

Elle lui apprend qu'elle a raté l'adresse.

— Il y a un dépanneur, dit-il, prêt à descendre.

— Ne bouge pas, j'y vais.

L'amabilité de la caissière s'accroît quand elle découvre ce qu'elle cherche.

— Vous venez de Québec ?

— De Montréal.

— C'est pareil. C'était pour savoir de quelle direction. Vous êtes passée devant. Faites demi-tour et roulez quatre kilomètres. Vous verrez la boîte aux lettres sur la gauche.

Diane la remercie et se prépare à sortir, mais elle doit d'abord satisfaire la curiosité de la commerçante.

— Je parie que vous êtes sa mère : elle vous ressemble.

Le cœur de Diane rate un battement.

— Vous la connaissez ?

— Bien sûr. Elle fait ses courses ici.

— Quand l'avez-vous vue pour la dernière fois ?

— Je ne sais plus. Il y a quelques jours.

Elle interpelle un personnage invisible :

— Armand, tu peux me dire quand elle est venue, la petite madame qui fait du cinéma ?

Un grognement lui répond, qu'elle interprète :

— Il ne s'en souvient pas. Mais il y a moins d'une semaine, j'en suis sûre. Pourquoi ? Il y a un problème ?

— Non.

Il faut qu'elle invente vite quelque chose.

— Elle mange si peu que je me demandais si elle faisait des courses régulièrement.

— C'est vrai qu'elle n'a pas l'air de manger grand-chose. Par contre, ajoute-t-elle en riant, la chienne a bon appétit.

Diane la remercie de nouveau et s'en va. La femme ne sait rien qui puisse alléger sa peur. Elle annonce à Michel qu'ils sont tout près : il suffit de faire demi-tour et de ne pas rater la boîte aux lettres. Ils la trouvent très vite. Au lieu de tourner, elle s'arrête. Tant qu'ils sont sur cette route, tout est possible, y compris le meilleur.

— Vas-y, Diane.

Elle s'engage dans l'allée.

III

Ma très chère Claire,

Je suppose que ces mots te font bondir. Hurler, peut-être. À condition bien sûr que tu aies ouvert ma lettre. Je n'exclus pas que tu la mettes à la poubelle dès que tu reconnaîtras mon écriture. Mais cette lettre, il faut que je l'écrive, autant pour moi que pour toi. Elle me servira à faire le point avant de commencer la nouvelle vie qui m'attend au bout des dix-neuf heures du voyage que je suis sur le point d'entreprendre. Les formalités sont terminées : j'ai ma carte d'embarquement, mes bagages sont enregistrés, j'ai franchi la douane. Il ne me reste qu'à patienter jusqu'au départ. J'écris sur mes genoux, dans cette enclave B 55 de l'immense corridor où se rassemblent les passagers pour Paris. Dans le sac à dos bourré que je peine à soulever, et dont le volume est juste à la limite permise pour les bagages à main, j'avais pris soin de glisser le nécessaire pour écrire, car cette lettre, destinée à relater ce que je n'ai pas eu le courage de t'avouer en face, je vais la poster dès l'arrivée, quelle que soit sa longueur, qu'elle soit finie ou pas, pour ne pas hypothéquer l'avenir avec cette chose non faite, pour que nous puissions tous aller de l'avant, toi comprise. J'aurais presque envie de dire *surtout toi*. Parce que nous, du moins Jean-Louis et moi, nous partons au sens propre, et tout ce que nous sommes sur le point de vivre sera nouveau et mobilisera nos énergies. Mais toi qui restes, je souhaite que tu ne t'appesantisses pas sur le passé à la recherche d'indices que tu aurais dû décoder et, qui sait, d'une responsabilité ou d'une culpabilité que tu serais tentée de t'imputer. Je ne voudrais pas faire de la psychologie à bon marché, mais je n'ignore pas que l'on finit toujours par se croire en partie responsable de ce qui nous advient de mauvais. Cette lettre, que tu la lises ou non, que tu apprennes le pourquoi et le comment de la situation, si tant est que je sois capable de l'expliquer, ou bien que tu la détruises rageusement, t'obligera à te dire que maintenant tu n'as plus le choix : il faut que tu ailles de l'avant.

J'ai commencé par *Ma très chère Claire*, car c'est bien ainsi que je pense à toi, malgré ce qui est arrivé. Parce que c'est *arrivé*. Ce n'était ni volontaire, ni prémédité, ni même conscient. Je ne l'ai pas voulu. Je n'aurais pas voulu te faire cette peine après toutes nos années de complicité. Jean-Louis non plus ne le voulait pas. D'ailleurs, il n'est presque rien arrivé : un incident qui s'est produit par hasard, probablement à force de travailler ensemble, et qui a pris des proportions incontrôlables. À l'origine, Jean-Louis souhaitait que tu ailles au Mali avec lui. Tu te doutes que sa décision de faire partie de l'équipe n'est pas récente : au dernier moment, cela aurait été irréalisable. Quand il a engagé le processus, en même temps que Marc et moi, il n'était pas question de t'exclure. En réalité, il voulait te mettre devant le fait accompli, persuadé que tu accepterais de le suivre lorsque lui-même serait sûr d'y aller : puisque tu travailles à contrat, disait-il, il te suffirait de ne pas en prendre d'autres à la fin de celui qui était en cours. Tant que nous n'avons pas reçu l'accord, aucun de nous n'était certain de l'obtenir. Ce n'était pas acquis d'avance. Il a fallu démontrer notre motivation, rédiger la demande de subvention et attendre le verdict. Tout cela nous a menés au début de l'été. C'est à partir du moment où Jean-Louis a posé sa candidature que je me suis éloignée de toi, parce qu'il m'avait fait promettre, et à Marc également, de ne rien te dire. Je sais maintenant que j'ai eu tort, mais il prétendait souhaiter te faire la surprise, se réserver de te l'annoncer lorsqu'il serait certain d'être accepté, et j'ai cédé à son insistance. Je n'arrivais plus à me sentir à l'aise avec toi, car j'étais consciente que mon silence était une trahison. Mais je tiens à ce que tu saches qu'il n'y avait rien alors entre Jean-Louis et moi, seulement la vieille camaraderie, et qu'il n'y a rien de plus maintenant, quoi qu'en pense Marc. Je dirais même qu'il y a moins de liens aujourd'hui entre nous, puisque nos rapports sont souvent contraints à cause de l'importance prise par cet incident qui n'aurait pas eu de suite si Marc n'en avait pas été témoin.

C'est arrivé par hasard, un soir où nous avions travaillé tard. Marc était allé conduire la voiture chez le garagiste, Jean-Louis m'a raccompagnée à la maison, je lui ai offert une bière. Je ne m'étais pas rendu compte qu'il m'avait suivie dans la cuisine et, en me retournant pour la lui apporter au salon, j'ai buté contre lui. Nous nous sommes retrouvés enlacés sans l'avoir décidé, puis les gestes se sont enchaînés sans que nous puissions résister. Si, depuis, j'ai passé des heures à me demander pourquoi cela s'est produit, sur le moment, je n'ai pensé à rien. Et puis Marc est entré. Nous ne l'avions pas entendu arriver. La scène a été terrible. Il n'a voulu accepter aucune explication, aucune excuse. Pourtant, cela aurait pu ne pas avoir de conséquences : c'était un accident, nous n'avions pas envie d'entamer une relation et surtout pas envie de détruire celles que nous avions l'un et l'autre nouées dix ans auparavant. Il aurait été possible d'oublier ce moment d'égarement et de vivre comme s'il n'avait pas eu lieu. Mais Marc nous a condamnés sans nous entendre. Et il a renoncé à l'Afrique, alors qu'il y tenait autant que nous, en disant qu'il ne supportait pas l'idée de nous voir jour après jour. Par la suite, Jean-Louis m'a annoncé qu'il ne te proposerait pas de partir avec lui puisque tu avais obtenu cette subvention pour un projet qui t'emballait. Je me suis étonnée qu'il ne te donne pas le choix. Il m'a opposé comme argument qu'il ne voulait pas mettre un frein à ta carrière, ce qui serait le cas si tu refusais la subvention, et m'a demandé de continuer à garder le secret car il ne se sentait pas encore prêt à t'en parler. Je ne suis plus certaine d'avoir eu raison d'accepter. Je suis même sûre du contraire. J'imagine qu'il ne t'a annoncé son départ qu'au dernier moment puisque, visiblement, tu l'ignorais lorsque tu m'as téléphoné il y a une semaine. Je ne sais pas en quels termes il t'a raconté cet incident stupide qui a déclenché le drame. Il ne m'en a rien dit. Nous avons du mal à parler de toi. Mais quelle qu'ait été sa façon de te le présenter, j'éprouve le besoin de te l'expliquer moi aussi, de te donner mon point de vue, en espérant que tu accepteras d'en prendre connaissance.

J'ai tant de fois repassé mon plaidoyer dans ma tête que je m'attendais à ce que cela coule naturellement pendant des pages et des pages, mais je suis déjà bloquée. Il me semble que j'ai tout dit en quelques mots : nous ne voulions pas, c'est arrivé, toutes nos vies en sont bouleversées, nous ne pouvons pas retourner en arrière, je le regrette. J'aperçois du coin de l'œil Jean-Louis qui fait les cent pas. Il vient jusqu'à la porte B 55, jette un regard au comptoir encore vide et au panneau qui annonce le vol AF 347 pour Paris à 19 h 55, fait demi-tour, se rend jusqu'au présentoir de lunettes de soleil puis revient. Comme toujours, il est incapable de demeurer en place. Quand il a vu que je m'installais pour écrire, il m'a regardée d'un air interrogateur, mais il a dû se rendre compte de son indiscrétion car, au lieu de me demander ce que je faisais, il m'a dit : *Tu restes là ? Je peux te laisser mon sac ?* J'ai acquiescé et, depuis, entourée du rempart formé par son sac et le mien, j'écris. À chacun de ses passages, je sens son regard intrigué. Je suppose qu'il finira par me poser la question. Et alors, que lui répondrai-je ? *J'explique à Claire ce qui s'est produit.* Voilà qui risque de provoquer une discussion. Il trouvera ma version inexacte, puisque forcément ce ne sera pas tout à fait la sienne. Même si nous ne différons que sur des détails, il ergotera à l'infini, comme toujours. J'en parle comme s'il discutaillait automatiquement et par principe. C'est faux. Je me dois d'être honnête : c'est souvent lui qui détecte le petit problème que nous n'avions pas vu et qui aurait pu enrayer la machine. Mais combien de fois, en arrivant à ce que nous espérions être la fin d'une réunion qui n'avait déjà que trop duré, nous avons tous senti poindre l'exaspération en l'entendant déclarer *Je me permets d'attirer votre attention sur un élément...* Et c'était reparti pour des heures. Qu'il eût souvent raison ne rendait pas ces situations plus faciles. J'ai vu plus d'une fois, autour d'une table de réunion, des mains se crisper sur une tasse ou un stylo. Mais tu sais tout cela, toi qui as vécu dix ans avec lui.

Une vieille dame vient de s'asseoir à un siège de moi. À cause des sacs à dos, elle n'a pas pu prendre la place voisine de la mienne et je sens qu'elle le regrette. Elle se racle la gorge, soupire, met du temps à s'installer, tout cela dans le but évident d'attirer mon regard et d'engager la conversation. Mais je me méfie : ce que j'aperçois du coin de l'œil me suffit à la deviner. C'est vraisemblablement une Française qui a rendu visite à ses enfants immigrés et brûle de faire admirer au monde entier les photos de ses magnifiques petits-enfants en les assortissant de commentaires idoines. Si je me laisse attendrir, j'en ai pour des heures. Qu'elle trouve une autre victime. Jean-Louis est venu me proposer d'aller au bar. J'ai refusé : je ne veux pas lâcher ma lettre. Ma presque voisine s'agite et je sens qu'au moindre encouragement elle serait prête à me demander où je me rends avec celui qu'elle doit prendre pour mon *chum*. Elle s'imagine sans doute une histoire bien loin de la vérité, nos gros sacs à dos évoquant ce genre de voyages que les jeunes — que nous ne sommes plus — font pendant des mois, partant un peu au hasard et modifiant leur itinéraire au gré des rencontres et des récits entendus dans des auberges de jeunesse du bout du monde. Ni toi, ni moi, ni nos compagnons ne l'avons jamais fait, trop sages pour cela, ou trop tôt engagés dans des causes qui nous ont menés sans transition de l'université à la vie active. Enfin, pour toi, c'est un peu différent, mais ton existence a tellement été imbriquée dans les nôtres que nous avons souvent oublié que tu exerçais un autre métier et que tu avais tes propres projets dans lesquels nous n'avions aucune part. As-tu souffert lors de ces interminables soirées que nous accaparions avec un égoïsme féroce pour y transporter ce que nous n'avions pas fini de traiter au bureau? Sans doute, car tu n'étais pas concernée et te contentais d'y assister. Nous n'y prêtions même pas attention: c'était toute notre vie et il fallait que ce soit aussi la tienne puisque tu faisais partie du groupe. J'ai le souvenir de tes abandons de nos causes successives: il venait toujours un temps où tu déclarais forfait. Jean-Louis t'en voulait, acceptait mal que tu n'adhères pas à fond à tous ses engagements. Tu laissais glisser et il se lassait de te disputer à la volupté de ton fauteuil.

Je vois Jean-Louis passer et repasser dans mon champ de vision et je n'arrive pas à me débarrasser du sentiment d'irréalité que j'éprouve à l'idée que nous ne sommes que deux à attendre le premier des avions qui nous mèneront en Afrique, alors que nous devrions être quatre, les quatre amis qui en dix ans ne se sont presque jamais séparés. La dernière fois que nous étions ici ensemble, c'était pour ce voyage à Bologne où nous avons passé une magnifique semaine de printemps, il y a deux ans déjà. Bologne… Tu n'avais encore jamais réalisé un film seule, mais nous aurions pu nous douter que cela viendrait en t'entendant évoquer pour nous toute une vie secrète sous les arcades ombreuses: complots, poursuites de spadassins armés de dagues, rendez-vous galants… Puis tu avais forcé le ton pour jouer le rôle du guetteur de la tour Asinelli dont les appels interrompaient la vie grouillant à ses pieds lorsqu'il annonçait au peuple de Bologne que l'ennemi était à ses portes. J'avais prêté ma voix aux gens affolés tandis que les garçons riaient de notre exaltation théâtrale… Chacun de nous avait ses incontournables. Moi, c'était l'Université, la plus ancienne du monde, où Batisia Gozzadini, née en 1209, fut la première femme à être titulaire d'une chaire académique. Marc tenait absolument à trouver la rue où une plaque rappelait que Gino Cervi, l'ineffable Peppone, qui donnait la réplique à Fernandel dans ces films de Don Camillo qui ont si mal vieilli, était un enfant de Bologne. Jean-Louis voulait se recueillir, Piazza Nettuno, devant la liste des victimes de la résistance aux nazis et aux fascistes. Quant à toi, il fallait toujours que tu retournes Piazza Santo Stefano, qui t'attirait irrésistiblement avec ce balcon du xiiiᵉ siècle curieusement accroché sur le côté de l'église du Crucifix et ses glycines pendant au-dessus des murs pour enchanter les passants. Il y avait eu aussi, je m'en souviens, ce musée Morandi auquel tu tenais absolument et où nous t'avions suivie. Tu ne te lassais pas de nous parler de ces tableaux représentant des bouteilles vides placées côte à côte. *Des natures mortes*, avait tranché Jean-Louis. Et Marc d'ajouter: *Très mortes*. Tu y étais retournée seule à plusieurs reprises. Tu en revenais émue et fascinée. Tu voulais nous convaincre. Ces bouteilles vides, c'était Bologne et ses tours désertées par leur âme ; c'était ce qui reste de la joie, un souvenir mélancolique ; c'était là où l'inspiration de l'artiste avait vu le jour ; le temps qui passe ; l'humilité faite œuvre… Tu étais intarissable, mais il y en avait toujours un de nous pour te couper et dire: *Je propose qu'on demande une bouteille pleine, ça fera changement*. Rien de festif aujourd'hui: seuls deux éléments de deux couples brisés.

Marc devrait être près de moi. Son absence, comme la tienne, est anormale, monstrueuse. Nous nous sommes rencontrés à l'université, tu t'en souviens. J'étais en première année de sciences politiques, comme Jean-Louis. Toi, tu étais en études cinématographiques, Marc aussi. C'était le *party* de rentrée. Marc et moi,

on ne s'est plus quittés. Jean-Louis et toi non plus. Avec Marc, l'attirance a été immédiate, et ce n'était pas juste affaire de phéromones : nous avions la même volonté de changer le monde, du moins je le croyais. Mais les phéromones fonctionnaient bien. Il n'y a jamais eu de problème de ce côté-là, même si au fil des ans c'était de moins en moins au programme. Il a pris notre « traîtrise » comme une preuve que je le jugeais mauvais amant. Après dix ans ! Aussi parce que c'était Jean-Louis, bien sûr, son meilleur ami. Depuis l'événement, il n'a plus supporté d'avoir le moindre contact physique avec moi, au point de faire un saut en arrière si nos mains s'effleuraient par hasard en attrapant un verre ou une assiette dans la cuisine. Mon ignominie, comme il l'appelait, il me l'a reprochée *ad nauseam*. Pendant ces nuits où nous avons continué de partager le même lit sans nous toucher, il a passé des heures à me répéter : *Comment as-tu pu me faire ça ?* Mais il n'attendait pas de réponse. Pire : il n'en voulait pas. Dès que j'essayais de parler, il m'arrêtait : *Tais-toi ! Il n'y a rien à dire. Tu es abjecte.* Puis il recommençait : *Comment as-tu pu me faire ça alors que je t'ai tout sacrifié ?* Tu auras du mal à le croire : il me reproche son changement de programme à l'université ! Il prétend que c'est pour moi qu'il est allé en sciences politiques, alors que ce qui l'intéressait, c'était les arts visuels. Il a toujours voulu faire du cinéma et il est coincé dans une ONG qui pellette des nuages à cause d'une…
— mets les mots les plus injurieux que tu connais, il les a tous dits une fois ou l'autre — qui ne pensait qu'à le trahir avec son meilleur ami. Il m'a reproché tout ce qui ne s'est pas bien passé dans les dix dernières années avec une mémoire des détails qui m'a donné le vertige. À l'entendre, dans notre relation, il n'a jamais été autre chose qu'une victime. Toute cette haine qu'il m'a distillée nuit après nuit alors que le jour il ne m'adressait pas la parole, mais faisait comme si j'étais inexistante, toute cette haine m'a usée, brisée, a eu raison de la nécessité que j'avais d'abord ressentie de lui expliquer que cela n'était rien et ne comptait pas. Je suis

maintenant parvenue au-delà de ce besoin de me justifier. À lui, je n'écrirai pas. C'est à toi que je veux dire…

Je ne sais plus ce que je veux te dire. Je suis perdue. Je devrais souffrir de l'absence de Marc, or ce n'est pas le cas. J'ai eu le temps de me déshabituer du désir d'être avec lui pendant les semaines où nous nous sommes déchirés. Autrefois, nos corps se répondaient, se rassuraient. Dans les réunions auxquelles nous participions côte à côte, il posait discrètement sa main sur ma cuisse pour me soutenir pendant les interventions délicates. Moi aussi, je le faisais. J'ai fini par oublier qu'il pourrait être là. Au début, c'était comme lorsque j'ai arrêté de fumer : j'ai gardé longtemps ce geste aveugle de chercher le paquet sans regarder, sûre de toujours l'avoir à proximité. Mais il n'y était plus et j'ai dû m'y habituer. Nous nous sommes réorganisés pour fonctionner avec une équipe amputée. Il a d'abord été question de le remplacer, puis le conseil d'administration a décidé que non. On prolongera éventuellement la présence sur le terrain des deux membres restants : Jean-Louis et moi. Alors, à la table de travail, sa chaise a disparu et nous nous sommes réparti ce dont il avait eu la charge. Après quelques tâtonnements, un nouvel équilibre s'est mis en place et je n'ai plus cherché Marc pour qu'il me soutienne. Cela m'a permis de découvrir que je me débrouille parfaitement sans lui. Et en ce qui concerne le projet, la conséquence est qu'au lieu de partir deux ans, ce sera probablement pour six mois ou un an de plus. À notre retour, nous ne serons plus les mêmes, et ceux qui seront restés non plus. Marc aura vendu l'appartement : il m'a fait signer l'autorisation de s'en occuper seul, et je lui ai laissé les pleins pouvoirs tellement j'avais hâte d'en finir. Au retour, il faudra que je cherche un nouveau domicile, tous mes amis se seront éloignés, et toi… Mais à quoi je pense ! Je pars, là, je ne reviens pas. Je pars, mais je ne suis pas encore partie. Je ne me suis éloignée que d'une trentaine de kilomètres, même si l'aéroport n'est plus la ville ni le

pays. C'est un *no man's land* sans rien de familier à quoi se raccrocher et où l'évocation du passé, du passé proche, surgit d'elle-
même comme pour faire entrer en ce lieu de passage un peu de
vraie vie. Le chauffeur de taxi qui m'a emmenée a plus de réalité
que Marc que je viens de quitter ou les Maliens pour qui nous
allons construire un dispensaire. La seule chose que je sais, c'est
que Jean-Louis ne fera partie de cet avenir, dans lequel je n'arrive
pas à me projeter, qu'à titre de collègue. Je n'en souhaite pas
davantage, lui non plus. Marc ne me croit pas. Pendant que je
sortais mes bagages, qu'il m'a regardée traîner sans esquisser un
geste pour m'aider, il m'a craché : *Vous allez être bien tranquilles,
maintenant !* Il n'y a pourtant rien eu de plus depuis ce fameux
soir, mais il ne m'a pas laissée le lui apprendre. Nous n'avons
jamais eu le désir de recommencer. C'était un accident, comme je
me tue à me le répéter dans mes nuits d'insomnie, faute de pouvoir te le dire et le dire à Marc. Jean-Louis et moi n'avons rien en
commun, si ce n'est un projet professionnel, et c'est le dernier
homme avec qui je souhaiterais vivre. Lui non plus ne vivrait pas
avec moi, et sans toi, nous n'aurions vraisemblablement même
pas été amis. Mon amie, c'est toi. C'était toi. Et c'est ce dont je
souffre le plus. Marc a réussi à détruire mes sentiments pour lui.
S'il lisait cela, il affirmerait en bégayant de fureur que c'est moi
qui ai tout détruit. Oui, Marc, le garçon calme et pondéré, crie. Il
ne ressemble plus à mon compagnon si facile à vivre des dix dernières années : il est devenu rancunier, hostile, violent. En paroles.
Il ne m'a pas frappée — si cela avait été le cas, je serais partie aussitôt. Mais cette violence verbale, je me sentais tenue de la supporter, j'avais l'impression que je la méritais, que je devais expier
pour ce que j'avais fait. La métamorphose de Marc ne m'a pas
seulement peinée mais sidérée : je ne le reconnaissais plus. Peu à
peu, j'ai compris que, contrairement à ce que nous croyions tous,
c'était moi qui le soutenais, et non l'inverse, et que son univers
s'est désagrégé. Je l'ai vu perdre pied sans pouvoir parvenir à

l'aider. Je me suis demandé si je ne devrais pas rester moi aussi, mais cela ne servirait à rien, car il repousse toutes mes approches. En partant tout à l'heure, inquiète de le quitter mais soulagée de fuir cet enfer, je me suis retournée dans l'ultime et vain espoir de donner *in extremis* une explication. J'ai vu son visage convulsé que la caméra pendant au bout de son bras n'occultait plus : il retenait ses larmes. Alors, je me suis sauvée.

Au comptoir B 55, le personnel d'Air France ayant procédé à l'enregistrement des bagages est arrivé il y a quelques minutes et des passagers se mettent déjà en file. N'y tenant plus, ma voisine, les mains crispées sur le sac qui n'a pas quitté ses genoux depuis qu'elle est assise, m'a interpellée :

— Vous ne croyez pas qu'il faut y aller ?

Je l'ai rassurée en lui disant qu'on nous appellera quand ce sera le moment et qu'il est inutile de se fatiguer à attendre debout.

La suite m'a donné raison : une jeune femme en uniforme d'agent de bord a pris le micro pour annoncer que notre départ serait retardé de quarante-cinq minutes parce que notre avion, arrivé de Paris en retard, n'était pas encore prêt. Tout le monde s'est agité, un attroupement s'est formé autour du comptoir où les employés ont répondu aux questions qui fusaient avec un sourire destiné à prouver que tout allait bien.

— Que pensez-vous qu'ils leur disent ? s'est inquiétée la vieille dame.

— Rien de plus que ce qui a été annoncé au micro. S'il y a des développements, ils nous avertiront.

Ne sachant s'il fallait me croire ou non, elle a laissé l'angoisse prendre le dessus et est allée s'informer. Quand elle est revenue, son siège était occupé et elle a affiché un désarroi sans commune mesure avec la situation.

Compatissante, je lui ai répété :

— Ne vous inquiétez pas, dès que l'avion sera prêt, ils feront des appels. Ils ont la liste des passagers et l'appareil ne part pas tant que tout le monde n'est pas à bord.

Elle a hoché la tête et est restée plantée devant moi, vieille petite fille apeurée. Je n'avais plus le choix : j'ai déposé mon sac à dos par terre pour lui céder le siège, mais je me suis détournée légèrement et me suis remise à gratter le papier afin qu'elle comprenne que je ne souhaitais ni parler ni écouter. La méthode s'est révélée efficace : elle s'est contentée de me remercier avant de s'asseoir, son sac sur les genoux, les yeux rivés sur le panneau qui annonce toujours le départ pour 19 h 55.

Jean-Louis est venu m'offrir une barre de chocolat que j'ai acceptée avec plaisir, car nous ne sommes pas sur le point de manger.

— Quand ils commencent d'annoncer un retard, a-t-il commenté, ça peut durer longtemps. Tu te souviens à Toulouse ?

Oui, je me souviens. Comment aurais-je pu oublier ? Nous avions attendu vingt-huit heures dans ce petit aéroport si dénué de ressources, tandis qu'on nous informait d'un nouveau délai toutes les deux ou trois heures. Dans l'espoir de dormir un peu, et pour fuir l'air conditionné, nous étions allés nous allonger sur les pelouses proches des portes. Brûlées par le soleil méridional, elles étaient dures aux fesses et peu accueillantes. À tour de rôle nous retournions à l'intérieur scruter les panneaux d'affichage de peur de rater une information importante. Nous avions finalement été logés pour la nuit dans un hôtel où on nous avait conduits en autocar, sans nos valises, et nous avions décollé le lendemain en fin de journée après plusieurs épisodes de fausses bonnes nouvelles et de distributions de mauvais sandwichs pour lesquels il fallait faire une heure de file. Un cauchemar. L'intervention de Jean-Louis a affolé ma voisine. J'ai tenté de réparer les dégâts en lui disant que le souvenir évoqué concernait un voyage avec une autre compagnie, mais que la nôtre est fiable. J'espère avoir raison.

Jean-Louis s'est assis à la place de son sac, dont il a sorti un livre. J'en ai profité pour aller me dégourdir les jambes. J'ai marché jusqu'à la barrière de la douane et suis revenue en visitant tous les kiosques pour tuer le temps. Je me suis attardée à celui qui vend des souvenirs, curieuse de ce que les touristes peuvent vouloir rapporter de leur voyage. L'unifolié est partout : sur les tee-shirts, les tuques, les bouteilles de sirop d'érable, lesquelles adoptent toutes les formes et tous les formats. Seules les sculptures inuites, médiocres imitations industrielles, échappent au drapeau canadien. Je me suis éloignée sous le regard blasé de la vendeuse, plus habituée aux flâneurs qu'aux clients. Quand je suis passée devant les chaises de massage, mon cœur s'est serré et ma vue s'est brouillée. Je n'ai pas pleuré en quittant l'appartement, malgré la scène de Marc, et ici, à l'évocation d'un minuscule moment heureux, des larmes stupides m'ont piqué les yeux. C'était en partant à Bologne — toujours Bologne, ce voyage si réussi. Tu te souviens, Claire ? Nous avions dit : *Pourquoi pas ?* et nous nous étions installées pour nous faire masser le dos.

Je ne peux pas imaginer de te perdre. Tu as été avec moi depuis la première rentrée au secondaire. Le hasard nous avait mises côte à côte dans cette salle de classe qui était restée la nôtre l'année durant parce que l'école avait préféré faire déplacer les professeurs pour faciliter la transition entre le primaire et le secondaire. D'autres filles avaient changé de voisinage, mais pas nous : nous nous sommes aimées tout de suite. Nous étions si différentes, toi réfléchie et volontaire, moi impulsive et hardie, et pourtant complémentaires. Dans *Le Cid*, tu jouais Chimène, moi Rodrigue. Nous sommes un vieux couple qui se comprend au moindre regard et qui parfois n'en a même pas besoin pour savoir ce que chacun pense. C'est pour cela que je t'ai évitée ces dernières semaines : tu aurais deviné tout de suite que je dissimulais quelque chose et je n'aurais pas pu continuer de me taire. Ce que je n'arrive plus à m'expliquer, c'est que j'aie pu accepter d'être la complice de Jean-Louis. On ne se cachait jamais rien toutes les deux, et là… Ses arguments m'avaient convaincue ; maintenant qu'il part sans t'avoir proposé de l'accompagner, je me demande si ses motifs étaient aussi purs qu'il me l'a affirmé. Jusqu'à présent, nous avons évité de parler de toi, mais je comprends que, pour tourner la page, il faut que j'en aie le cœur net, que je sache à quel point j'ai été manipulée. Lorsque nous serons installés dans l'avion, prisonniers de notre siège pour les sept heures à venir, je le sommerai de m'expliquer. Et nous devrons aussi parler de ce qui est arrivé entre nous.

Quand je suis revenue m'asseoir, Jean-Louis et la vieille dame étaient silencieux : avec lui non plus elle n'est pas parvenue à engager la conversation. J'ai pris un fauteuil libre à proximité et mon esprit s'est mis à divaguer au gré des souvenirs qui reviennent pêle-mêle. Quand nous étions très jeunes, nous aimions mieux aller chez toi après l'école : ta mère avait toujours quelque merveille dans le four. La maison embaumait la brioche ou les biscuits au chocolat. En grandissant, nous avons préféré la paix que nous consentaient mes parents, qui ne se sont jamais indignés des odeurs qui sortaient de ma chambre. Après avoir pris soin de nous informer des dangers encourus, avec à l'appui des photos de loques détruites par la drogue, ils nous ont fait confiance. La suite a prouvé qu'ils ont eu raison. Je ne sais pas si je pourrai laisser autant de liberté à mes enfants si un jour j'en ai. Mais ce désir d'enfant, si fort chez toi, je ne le ressens pas. Marc non plus n'en voulait pas, du moins dans l'immédiat. Après l'Afrique, s'il y avait eu pour nous un *après l'Afrique*, nous nous serions sans doute posé la question, surtout si vous en aviez eu un.

Il me semble que toi, tu en as envie depuis toujours. Lorsque nous gagnions notre argent de poche en étant gardiennes, tu préférais t'occuper des plus jeunes, et quand c'étaient des bébés, tu étais carrément ravie, tandis que moi, je n'osais même pas les toucher. Pendant nos études, tu disais que Jean-Louis était d'accord pour avoir un enfant dès que vous les auriez terminées. Mais cela fait des années que vous avez quitté l'université. Il n'est pas imaginable que tu aies pu changer d'avis, alors, il faut croire que c'est lui. Je le lui demanderai tout à l'heure quand nous en serons au moment de vérité.

Il y a eu une nouvelle agitation au comptoir et l'agent de bord a repris le micro pour nous annoncer un autre retard d'une demi-heure. La vieille dame a paniqué : elle a une correspondance pour Lyon qu'elle va rater. Je lui ai proposé d'aller avec elle parler à un employé. J'ai vu à l'expression de Jean-Louis qu'il pensait — et je savais qu'il avait raison — que je mettais le pied dans un engrenage dont je n'étais pas près de sortir. Mais que faire ? Je ne pouvais pas la laisser à son désarroi : elle a l'âge de mes grand-mères. Elle n'était pas seule à vouloir des informations supplémentaires, car bien des gens ont des correspondances serrées et s'inquiètent. Ce n'est pas notre cas : nous devions attendre sept heures l'avion pour Bamako ; nous passerons simplement plus de temps à Montréal-Trudeau et moins à Paris-Charles-de-Gaulle. Quand la vieille dame a pu enfin poser sa question, l'agent de bord l'a assurée qu'il n'y aurait aucun problème : une navette se rend à Lyon toutes les heures et, si elle en ratait une, on la mettrait sur la suivante. Près de nous un passager pessimiste a commenté : *S'il y a de la place,* mais elle ne l'a pas entendu et je me suis empressée de l'entraîner avant que quelqu'un d'autre n'émette une remarque décourageante. Elle paraissait rassérénée, mais tout à coup il lui est venu une nouvelle angoisse : sa fille ira l'attendre à l'heure prévue. En ne la voyant pas, elle va s'alarmer, appeler à Montréal, inquiéter à leur tour ses enfants qui sont ici. Peut-être repartira-t-elle et alors il n'y aura personne pour l'accueillir. Là aussi j'ai tenu un discours apaisant : sa fille téléphonera à l'aéroport avant de s'y rendre pour vérifier s'il y a des retards. *Vous êtes sûre ?* Sa voix tremblait.

Oui, tout le monde fait ça. Elle a repris sa place, petite vieille tassée sur son siège. Elle est arrivée la tête encore pleine de son séjour familial, prête à raconter comment on l'avait fêtée, mais tout cela est loin maintenant. Elle est fragile, démunie et n'a plus que moi pour l'empêcher de partir à la dérive.

Jean-Louis m'a chuchoté : *C'est bon d'avoir toujours un saint-bernard chez soi.* L'*inside joke* m'a rappelé les quantités de fois où je me suis engluée dans des situations inextricables parce que je n'avais pas résisté à un regard de détresse. Cette phrase, que vous avez adoptée et me resservez à chaque occasion, vient de ma mère, qui avait du mérite de faire de l'humour malgré la kyrielle de chatons égarés, de chiens perdus et même de sans-abri que je lui ai ramenés dès qu'elle m'a lâchée seule dans la rue. À vrai dire, elle était pareille, mais étant adulte, elle se raisonnait, consciente de ne pas pouvoir soulager tout le malheur du monde. Cette fois, cependant, je n'ai pas pris grand risque : dès que nous serons dans l'avion, je serai séparée de la grand-mère en péril, dont j'aurai vite oublié l'existence.

Par contre, ce qui ne s'effacera pas de mon esprit, c'est que tu étais seule quand tu as appris le départ de Jean-Louis. Je me demande à quel moment il t'a téléphoné. Le matin ? Tu auras eu toute la journée pour tourner en rond et te heurter aux murs. Le soir ? Tu auras passé une nuit blanche à essayer de comprendre. Pas pendant le jour : il avait trop à faire avec les préparatifs. Tous tes chagrins, je t'ai aidée à les surmonter, et de celui-ci, je suis en partie responsable. Je ne peux pas me le pardonner, pas plus que je ne peux supporter d'être cette fille-là qui a trahi et qui s'en va.

Nouvel appel au micro : cette fois, il semblerait que nous partions. Sans un regard vers moi, la vieille dame s'est précipitée dans la file qui s'est instantanément formée, comme si cela allait lui permettre d'arriver plus vite. Au bout du compte, le saint-bernard n'aura pas été beaucoup mis à contribution. Avec nos sacs pesants, que nous n'avons pas envie de traîner plus que nécessaire, nous attendons que le gros des troupes soit passé avant de nous lever à notre tour.

Il n'y avait plus de place dans les espaces de rangement et les sacs étaient trop volumineux pour entrer sous le siège avant. Un agent de bord les a pris et s'en est occupé après nous avoir laissés récupérer ce que nous voulions garder pendant le vol : de quoi lire pour Jean-Louis, de quoi écrire pour moi. J'ai glissé papier et stylo sous la tablette parce que nous serons sollicités sans arrêt tant que nous n'aurons pas décollé et qu'il sera difficile de me concentrer. J'ai regardé le personnel affairé qui allait et venait, comptait les passagers, les recomptait, faisait une annonce pour demander que chacun reste assis durant le comptage sans quoi il est impossible à effectuer. Puis sont venues les consignes de sécurité, dans l'indifférence générale. Ou presque : j'ai vu en diagonale un homme blême qui n'en perdait pas un mot, comme s'il imaginait pouvoir s'en souvenir en cas de besoin. Avec l'inévitable panique, la rationalité ne doit pas tenir longtemps, mais si cela peut l'aider… Distribution des écouteurs, vérification des ceintures et des compartiments à bagages et, enfin, l'annonce que nous décollions et que Paris était à sept heures et vingt minutes.

Nous sommes partis, et cependant ma tête est restée à Montréal. Et aussi dans ce coin de Charlevoix où tu te prépares à passer une nouvelle nuit solitaire à ressasser le désastre. Je te connais si bien ! Je sais à quel point tu vis les événements à l'excès, et comment celui-ci, tellement inattendu, doit te ravager. J'ai décidé de ne pas engager la nécessaire conversation avec Jean-Louis avant le repas pour éviter que nous soyons interrompus et qu'elle tourne court. Pour tuer le temps, j'ai feuilleté le magazine d'Air France : produits de luxe, vacances de luxe, hôtels de luxe. Je m'en vais dans un pays d'une grande pauvreté et ces images sur papier glacé m'ont écœurée : trop pour les uns, pas assez pour les autres. Puis j'ai passé en revue les ressources prévues pour nous occuper : des films récents que je n'ai pas eu le temps de voir et que je ne regarderai pas parce que je veux continuer cette lettre. Des jeux vidéo qui ne m'intéressent pas, contrairement à Jean-Louis qui a entrepris de faire exploser des mammouths. Une chaîne d'informations qui s'est révélée indisponible. Un plan du vol en temps réel, que j'ai regardé un moment.

— Je suis arrivé au niveau huit, m'a fièrement annoncé Jean-Louis en abandonnant le jeu pour manger.

Air France a bien fait les choses : champagne à l'apéritif. Nous avons trinqué au dispensaire. Dès que les plateaux ont été ramassés, Jean-Louis est retourné à ses mammouths. Je me suis penchée vers l'écran tactile et j'ai interrompu le jeu.

— Il faut qu'on parle.

Il s'est appuyé au dossier et a soupiré :

— Je suppose que oui.

Je lui ai demandé comment tu as réagi à son départ et il m'a répondu que tu n'étais pas au courant. L'incrédulité m'a laissée sans voix.

— Je lui ai écrit, a-t-il dit, mais je n'ai pas parlé de l'Afrique. Je lui ai annoncé que je quittais l'appartement parce qu'il valait mieux que nous nous séparions pour réfléchir à l'avenir. J'ai posté la lettre tout à l'heure, à l'aéroport, elle l'aura dans deux jours.

Comment est-il possible d'être aussi lâche ? Je me suis enfermée dans le silence. Qu'aurais-je pu lui dire, à part l'insulter ? Malgré mon évidente hostilité, il a choisi de parler, même si je ne lui demandais rien de plus.

D'après lui, il n'y a aucun rapport entre sa décision de ne rien te dire et ce qui s'est produit entre nous, cet incident qui n'aurait dû avoir aucune importance, mais qui, en fin de compte, a été primordial puisqu'il a été à l'origine du bouleversement de nos vies. Lors de la discussion qu'il a eue avec Marc le lendemain, il espérait pouvoir lui expliquer que nous n'avions pas de liaison, qu'il était exclu que nous en ayons une et que le mieux était d'oublier ça. Mais Marc n'a rien voulu entendre et il l'a accusé en hurlant d'être un traître et l'a menacé de le lui faire payer. Il a fini par lui poser un ultimatum : ou il renonçait au Mali ou il t'avertissait de ce qu'il avait découvert. Jean-Louis s'est braqué à son tour et lui a dit qu'il ne céderait pas au chantage. Finalement, c'est Marc qui a démissionné et il ne t'a rien révélé. Pour t'épargner ? Jean-Louis n'en sait rien puisque Marc ne lui a quasiment jamais plus adressé la parole. C'est sa réaction à cette menace de t'avertir, et ainsi de risquer de provoquer une rupture, qui a conduit Jean-Louis à s'interroger sur votre relation. Parce qu'il n'a pas hésité un instant : quelles qu'en soient les conséquences, il était exclu qu'il renonce au projet malien. C'était donc que ta présence dans sa vie n'était plus essentielle. Cette découverte l'a profondément perturbé, car votre couple lui paraissait intangible et il ne l'avait jamais remis en question.

Tu as emménagé chez lui presque aussitôt après avoir fait sa connaissance. Ta vie et la sienne se sont imbriquées. Vous ne vous sépariez que pour les cours. Il a évoqué la grave maladie que tu as eue en deuxième année. Il a eu si peur de te perdre… Il n'aurait pas pu envisager son existence sans toi : vous étiez ensemble, c'était pour toujours, et cela ne s'est pas démenti dans les années qui ont suivi.

Et puis, il y a eu le projet de dispensaire. Il voulait absolument en être. Il t'a proposé de l'accompagner à titre de conjointe. Vous vous seriez mariés si cela avait été nécessaire. Tu aurais trouvé un sujet de documentaire sur place et tu aurais sans doute aussi eu la possibilité de t'impliquer d'une manière ou d'une autre dans la communauté. Il sait que, s'il avait insisté, il aurait obtenu gain de cause, mais n'a pas eu envie d'y consacrer l'énergie nécessaire. Il a préféré se dire que, mise devant le fait accompli, tu n'aurais pas le choix : il ne te resterait qu'à faire tes bagages. Seulement, et il ne s'en est rendu compte que bien plus tard, ce *trip* qu'il vivait seul l'a détaché de toi. Pour la première fois en presque dix ans, il préparait un projet sans que tu le saches et, peu à peu, il est devenu évident que tu n'y aurais pas ta place. Il l'a vraiment réalisé après que lui et moi nous nous sommes — c'est sa façon de le dire — jetés l'un sur l'autre comme des affamés. Il ne croit pas que cela ait été sans importance, mais ce n'est pas non plus le signe que nous voulions entreprendre une relation amoureuse, pas du tout : la preuve en est que nous n'avons pas recommencé alors que, si nous l'avions souhaité, il n'y aurait rien eu de plus facile. Si c'est arrivé, à son avis, c'est que nos deux couples battaient de l'aile. Combien de fois, avant ce jour-là, avions-nous été ensemble sans ressentir d'attrait sexuel ? Il pense que pour Marc et moi cela n'allait pas bien non plus, même si nous ne nous en rendions pas compte, sinon nous n'aurions pas rompu ainsi : nous nous serions donné une nouvelle chance. Il lui est apparu que lui et toi aviez peu de centres d'intérêt communs. Tu l'as suivi dans toutes les causes dans lesquelles il s'est impliqué au fil du temps, mais justement, tu suivais, et souvent, tu te forçais, avant de finalement abandonner. Et puis, tu as commencé à te faire un nom comme réalisatrice adjointe et cela t'a valu une reconnaissance du milieu. Tu n'avais jamais été aussi épanouie avant cela. Il en est heureux pour toi et respecte ton travail, mais cela t'a beaucoup accaparée, et au début de l'été, il a réalisé que vous viviez comme des colocataires qui s'entendent bien mais n'ont jamais le temps de faire des choses ensemble. Il aurait fallu qu'il te parle du Mali à ce moment-là. Vous auriez eu une discussion qui aurait permis de mettre les choses au point, mais il y a eu cette histoire, qui a semé la confusion dans son esprit, et la rupture avec Marc. Il a été très affecté de perdre celui qui avait été son ami et son compagnon de travail pendant toutes ces années. Il espérait que tu n'apprendrais pas ce qui était arrivé, puisque Marc avait renoncé au chantage. Tu en aurais souffert et cela n'en valait pas la peine. Alors, il a continué de se taire parce qu'il aurait fallu expliquer pourquoi Marc n'y allait plus. Quand vous vous êtes rendus chez ses parents, la date de son départ approchait, et vous étiez là, tous les deux, sans rien d'autre à faire que conduire et parler. Il a pensé que c'était l'occasion de te l'annoncer. Vous auriez le temps de tout dire, de tout analyser pour que ce soit clair. À l'aller, il s'est tu pour ne pas plomber le séjour, mais au retour, après avoir vu le bébé de sa sœur, tu es revenue sur ton désir d'avoir bientôt un enfant. Cela ne pouvait pas tomber plus mal. Il n'a pas pu se résoudre à parler de l'Afrique. Puis il y a eu ton propre départ pour Charlevoix. Avant votre conversation téléphonique quotidienne, il se préparait chaque fois à te le dire. Mais il a repoussé l'épreuve de jour en jour faute d'avoir le courage d'affronter la scène qui aurait inévitablement eu lieu, et au bout du compte, il a été trop tard. À la place, il t'a écrit cette lettre, que tu auras dans deux jours, où il t'apprend qu'il a décidé qu'il fallait vous séparer pour faire le point après toutes ces années de vie commune, car vous avez évolué tous les deux dans des directions divergentes. Pour lui, c'est la vraie question.

Je l'ai laissé terminé avant d'exploser :

— Je n'en reviens pas que tu lui aies caché ton départ pour l'Afrique !

— C'était inutile de le lui annoncer puisque nous nous serions séparés de toute façon.

— Vraiment ? Et quand elle va rencontrer Marc, ce qui arrivera fatalement, que penses-tu qu'il lui dira ? Elle sera persuadée que toi et moi nous sommes partis pour vivre ensemble. Tu ne peux pas lui laisser croire ça !

— Que veux-tu que je fasse ?

— Que tu écrives une autre lettre et que tu ne caches rien.

Espérant s'en tirer avec les explications qu'il m'a données, il attendait que je propose de prendre l'affaire en main en relayant ce que je jugerais bon, mais j'ai insisté :

— C'est important. Elle doit savoir ce qui s'est vraiment passé, pas ce que Marc imagine et ressasse.

— Mais toi-même, tu es en train de lui écrire, n'est-ce pas?
C'est bien ce que tu fais?

— Oui, mais ça ne suffit pas: elle a besoin de nos deux versions.

Je lui ai donné du papier à lettres. Il a deviné que je ne le lâche-rais pas, alors, il a sorti son stylo et s'y est mis en soupirant.

Jean-Louis a eu vite fini d'écrire. Ce ne sera pas un roman-fleuve. Je lui ai tendu une enveloppe et il a transcrit ton adresse avant de replonger dans son jeu vidéo. J'ai supposé qu'il se sentait mieux après cela. Nous n'en reparlerons plus, il peut tourner la page. Je suis fatiguée, il est tard, les veilleuses s'éteignent ici et là. Je vais ranger mon matériel et fermer les yeux dans l'espoir de dormir un peu.

J'ai été réveillée par des bruits et du mouvement: le personnel de bord passait avec des chariots d'où provenait une odeur de café. J'ai consulté ma montre et découvert que j'avais sommeillé deux heures, ce qui me valait des cervicales douloureuses, un dos raide et des jambes lourdes. Jean-Louis avait dû dormir aussi à en juger par ses yeux fripés et ses cheveux en bataille. Je me suis levée pour aller aux toilettes. La traversée de l'avion a été une épreuve: l'air était fétide, chargé de l'haleine des dormeurs. Les toilettes sentaient mauvais. Je voulais me brosser les dents; dégoûtée, j'ai renoncé. J'ai réintégré ma place juste à temps pour le petit déjeuner. J'ai bu le café avec plaisir, même s'il avait un goût de métal, mais je n'avais pas faim. J'ai conservé le muffin pour le manger plus tard. Il restait une demi-heure de vol. La descente était commencée, mes oreilles bourdonnaient et me faisaient mal. Quand l'avion s'est posé, les passagers, se croyant arrivés, se sont agités. Dans sa hâte de quitter l'avion, chacun oublie qu'une fois au sol l'appareil doit se rendre à son aire de stationnement, ce qui prend un temps infini. C'est du moins l'effet ressenti après une nuit de voyage. À l'entrée du couloir qui menait aux correspondances, j'ai retrouvé la vieille dame, à laquelle je ne pensais plus. Visiblement, l'inverse n'était pas vrai, car elle m'attendait comme si j'étais l'unique personne au monde capable de la guider dans ce dédale infernal. Il aurait pourtant suffi qu'elle lise les panneaux, mais elle était trop perdue pour pouvoir y comprendre quelque chose. Vu qu'il était seulement dix heures trente et que l'avion pour Bamako est à seize heures dix, j'ai décidé de l'aider autant que je le pouvais. Jean-Louis nous a suivies, estimant qu'il valait mieux que nous restions ensemble pour franchir la douane en même temps au cas où l'un de nous aurait un problème. Au comptoir d'Air France, elle a appris qu'ayant raté l'avion de neuf heures trente-cinq, elle partirait avec celui de treize heures cinq, ce qui a déclenché une crise de désespoir. Par chance, elle est tombée sur une employée compatissante qui a pris le temps de la tranquilliser et de lui répéter chaque information. Comme elle partait du terminal 2E et nous du 2F, nous l'avons laissée dans la file de la douane. Elle nous a à peine remerciés, déjà tournée vers sa voisine qui semblait une bonne candidate au rôle de saint-bernard. Jean-Louis et moi avons échangé un sourire amusé avant de nous diriger vers notre terminal. Un douanier indifférent a tamponné nos passeports tout en continuant sa conversation avec son collègue, mais il n'a pas été aussi simple de franchir l'étape de la sécurité. Nous avons fini par passer après avoir à moitié vidé nos sacs et nous être délestés de nos chaussures, de notre ceinture, de notre veste et de notre monnaie. Il nous a fallu un bon moment pour tout récupérer. Remplir de nouveau les sacs a été une opération laborieuse vu qu'ils sont bourrés au maximum. À onze heures trente, les formalités étaient terminées et nous nous sommes de nouveau retrouvés dans un *no man's land*, avec cette fois cinq heures à tuer. J'ai repris ma lettre, installée entre les deux sacs comme à Montréal, tandis que Jean-Louis partait à la découverte des environs.

Ce qui m'a frappée dans son récit, c'est le constat que vous viviez à la manière de colocataires qui s'entendent bien. Je cherche dans mes souvenirs pour essayer d'en voir les signes, mais rien ne m'apparaît. Cela implique, je suppose, que vous ne faisiez plus souvent l'amour, or tu ne m'en as rien dit, alors que nous étions très libres sur tous les sujets. Il est vrai que moi-même j'ai évité de l'aborder, pourtant, chez nous aussi c'était moins bien qu'avant. Nous craignions peut-être l'une et l'autre qu'en parler nous oblige à y réfléchir et à remettre nos vies en question. Comme vous, Marc et moi vivions davantage côte à côte qu'ensemble, presque comme des amis. Cela s'est produit insidieusement, sans que nous nous en apercevions. Il a fallu que le drame éclate pour que je le découvre, mais à ce moment-là, nous étions devenus ennemis. Tu ne peux imaginer à quel point je suis soulagée d'avoir échappé au spectacle permanent de sa souffrance et de sa colère. Mais ce n'est que maintenant, ici, à l'aéroport de Paris, que je ressens cet allègement. Dans la salle d'attente à Montréal, je ne me sentais pas encore libre, comme s'il avait la possibilité de venir me rejoindre pour m'empêcher de partir, ce qu'il n'a jamais essayé de faire, je dois l'admettre, ou continuer de me torturer en me culpabilisant, en m'insultant, en m'humiliant, en transformant nos nuits en enfer programmé. Nous avons vécu trois mois ainsi. J'aurais pu m'en aller tout de suite, bien sûr, me réfugier chez mes parents, par exemple, mais à moi aussi il a fait du chantage : si je le quittais, il t'appelait pour tout te révéler.

Quand Jean-Louis est revenu de son exploration, il était indigné :

— Peux-tu bien me dire quel voyageur en transit va acheter une valise dans un terminal ? Un bagage à cinq cents euros qui plus est.

— C'est tout ce qu'il y a ?

— Non. Tu peux également te procurer à prix d'or, mais détaxés, des parfums, des foulards griffés ou bien du chocolat ou du foie gras. Idéal quand on veut se munir de petits cadeaux pour des Africains qui n'ont pas de dispensaire.

— Il n'y a pas de librairie ?

— Si. Enfin, si on peut dire. Ils ont les journaux — mais il y a derrière toi un présentoir où tu peux les avoir gratuitement —, des magazines et quelques livres : les inévitables best-sellers qui se trouvent partout.

— Et pour manger ?

— Des viennoiseries, des salades ou des sandwichs. De la nourriture industrielle, rien d'appétissant.

Il m'a demandé si j'avais faim, je lui ai répondu que non, pas encore. Alors il a décidé d'y aller tout de suite. Nous garderons les bagages à tour de rôle pour ne pas devoir attendre en file avec le sac sur le dos et le plateau à la main.

Selon son interprétation, ton ascension professionnelle vous a été fatale, ce qui n'a pas été du tout le cas pour notre amitié. J'étais heureuse pour toi et contente que tu m'en parles. Mais il est vrai qu'à partir de ce moment-là tu as changé : tu as acquis de l'assurance et tu as cessé d'avoir l'air de toujours être en retrait de Jean-Louis. Pour la première fois, tu étais valorisée pour des choses que tu accomplissais sans lui. Il y a eu aussi des articles où tu étais mentionnée et des passages à la radio, preuve que ce que tu faisais comptait, et qui nous ont tous amenés à te percevoir autrement. Jean-Louis a mal supporté que tu existes en dehors de lui ; il te considérait presque comme un appendice de lui-même et s'est senti dépossédé. Il ne le dit pas ainsi, bien sûr, et j'exagère sans doute un peu. Ce que je crains, c'est que toi, tu ne sois pas consciente que ton évolution t'a rendue beaucoup moins dépendante de Jean-Louis que tu ne l'étais. J'imagine que tu es effondrée, et cela m'enrage. Il ne le faut pas ! Il y a deux ans que tu ne fais pratiquement plus rien avec lui, à part partager le même lit, mais s'il a employé le terme *colocataires*, on peut supposer que ce n'était plus comme autrefois. Avec le projet de dispensaire, il s'est éloigné de toi sans que tu protestes vraiment. Insidieusement, vous êtes devenus peu à peu comme des colocataires, pour reprendre son terme, et maintenant que tu es dans Charlevoix depuis plusieurs semaines sans lui, tu as appris à être tout à fait seule. Je t'en supplie : au lieu de te dire que ta vie est finie, que tu ne peux pas vivre sans lui, que tu es désespérée à cause de son abandon, relis les phrases qui précèdent et penses-y. Tu verras que j'ai raison : il y a déjà longtemps que vous n'êtes plus vraiment un couple, et son départ ne change pas grand-chose. Je voudrais que tu ne sois pas malheureuse, Claire, je t'aime trop. Je voudrais que tu plonges dans la réalisation de ton documentaire et que tu oublies tout le reste, comme tu m'as raconté que cela se produisait lorsque tu étais concentrée sur ton sujet, et que tu en ressortes prête à vivre seule, une autre vie, indépendante, avec, à un moment donné, un homme qui ne te cantonnera pas au rôle de figurante.

Voilà ce que j'avais à te dire. Je ne prétends pas que maintenant je me sente bien, mais j'ai le sentiment d'avoir accompli ce qu'il fallait et que j'ai acquis le droit de passer à la suite. Je vais poster ma lettre, et celle de Jean-Louis en même temps, dans cet aéroport de Paris qui est le lieu de transition entre mon ancienne vie et ma vie future. Déjà, je me sens plus disponible. Ma pensée, qui était entièrement tournée vers le Québec, s'en éloigne, et je commence d'avoir la tête là-bas, de me demander si le médecin qui va nous accueillir sera aussi sympathique que ses courriels le laissaient croire, si nous serons acceptés par la communauté villageoise, s'il sera difficile de s'adapter à l'absence du confort nord-américain, si…

Je t'aime, Claire, et je te serre dans mes bras de toutes mes forces pour t'insuffler le courage de franchir cette épreuve.

Florence

IV

Claire est en train de siroter une tasse de café, assise sur une marche de la galerie, le dos appuyé à la balustrade, vêtue du vieux tee-shirt informe de Jean-Louis qu'elle porte la nuit, quand elle entend une voiture pénétrer sur le terrain. Qui cela peut-il être ? Le moteur du véhicule s'éteint et les visiteurs, précédés par Elfie qui est allée les accueillir, surgissent dans son champ de vision : ses parents. La bouche de Claire est pâteuse, elle est échevelée et elle pue. La radio, brièvement allumée le temps d'obtenir l'information, lui a appris que c'est le milieu de l'après-midi du samedi. Elle a dormi près de quarante-huit heures. Il ne lui reste que le vague souvenir de s'être levée quelques fois pour aller aux toilettes, d'avoir bu un verre d'eau à la cuisine et vérifié les plats de la chienne avant de se recoucher pour se rendormir aussitôt. La surprise causée par l'apparition de ses parents est totale, et Claire n'a que quelques secondes pour établir une stratégie, qui se résume à quatre mots : NE PAS EN PARLER. À elle de prouver qu'elle n'a pas perdu ses qualités de comédienne, même si elle a quitté la troupe de théâtre amateur depuis des années afin d'avoir plus de temps pour Jean-Louis.

Elfie leur prodigue de grandes manifestations de joie. Elle leur saute dessus, en quête de caresses, et aboie de toutes ses forces. Claire essaie d'être à l'unisson. Pour expliquer le fait, évident, qu'elle vient de se lever, elle prétend avoir eu une grosse insomnie et s'être endormie sur le matin. Après avoir installé ses parents sur la galerie, elle va pêcher deux bières dans le frigo puis s'éclipse en disant :

— Laissez-moi un quart d'heure que je puisse reprendre figure humaine.

Elle fonce sous la douche et réfléchit à toute vitesse. Il y a à peine trois ou quatre jours que sa mère lui a téléphoné et elle est sûre de lui avoir donné l'impression d'aller bien. S'ils sont là, c'est qu'ils ont appris ce qui s'est passé. Or, ELLE NE VEUT PAS EN PARLER. Montréal est à plusieurs heures de route et ils travaillent tous les deux lundi. Ils repartiront donc demain après le repas de midi. Elle doit tenir jusque-là et les empêcher d'EN PARLER.

Elle les rejoint, habillée, la tignasse démêlée et avec un soupçon de maquillage pour se donner bonne mine. D'ailleurs, elle n'est pas mauvaise, sa mine : elle a l'air reposé — après deux jours à dormir, c'est bien le moins — et arbore même un léger bronzage. Un peu de rose sur les joues et le tour est joué. Ils ont fini leur bière et elle leur en propose une autre, que son père accepte.

— C'est une belle surprise de vous voir ici. Mais il faut que je fasse quelques courses pour que nous puissions souper.

— Ne prends pas cette peine, on peut manger des pâtes ou n'importe quoi.

— C'est que je ne suis pas sûre d'avoir n'importe quoi. Quand je travaille, j'essaie de perdre le moins de temps possible. Je ne vais au dépanneur que lorsque je n'ai plus rien et j'ai bien peur d'en être là. Reposez-vous, j'en ai pour une demi-heure. Après, je vous fais visiter.

Elle les abandonne, un peu sonnés, sans leur avoir laissé l'occasion de dire plus de quatre mots. Pendant son absence, ils échangeront leurs impressions. Elle espère avoir donné le change.

Madame Bolduc lui apprend qu'elle les a rencontrés : ils avaient raté la maison et continué jusqu'à l'entrée du village. Claire précise qu'elle ne les attendait pas, ce qui l'oblige à faire quelques provisions en catastrophe.

Comme elle le leur avait annoncé, son retour est rapide. Elle range les courses dans le frigo et leur montre la maison, insistant sur la taille de sa table de travail, si agréable, et la plongée sur le fleuve que le peintre voyait sous le même angle. Son père s'intéresse à la structure caractéristique du xviiie siècle. Il admire les poutres, l'enduit des murs, les proportions. *Une belle bâtisse*, répète-t-il à plusieurs reprises. Sa mère paraît dépassée par les événements. La volubilité de sa fille l'empêche de parler elle-même. Elle est pourtant venue pour cela. Claire ne leur épargne pas le moindre recoin. Quand il ne reste plus rien à voir, elle lance :

— Prêts à visiter la maison d'Isidore Beaulieu ?

Elle sait que cela intéresse ses parents, et principalement son père, qui l'a conduite dans les musées dès sa petite enfance et a partagé avec elle son amour de la peinture. Mais il préfère se reposer.

— Dans ce cas, on ira demain.

Il s'allonge sur le sofa et elle sort avec sa mère.

— Allons nous promener le long du fleuve. Avec Elfie, j'y vais tous les après-midi et parfois aussi le matin.

Elle prend la main de Diane pour l'aider à descendre les marches, même si celle-ci n'en a nul besoin, juste pour établir un contact physique et ainsi la rassurer davantage. Mais elle s'éloigne aussitôt parce que cette proximité la bouleverse. Si elle s'amollit, elle risque de craquer. Après leur départ, elle pourra hurler, pleurer, se cogner la tête contre les murs, mais tant qu'ils sont là, elle doit tenir. Et d'abord, l'empêcher d'aborder le sujet de crainte qu'en nommant l'innommable sa mère le rende irréversible. Pour cela, il ne faut pas lâcher la parole, ne pas lui laisser placer un mot. Cette logorrhée inquiète Diane encore davantage, mais Claire est lancée et ne peut plus s'arrêter.

— Regarde le caillou d'Elfie : elle fait pipi dessus à chaque promenade ! Tu as vu le grand héron ? C'est son territoire, il pêche ici tous les jours. Une fois, je venais d'arriver, j'ai aperçu un oiseau-mouche sur le talus, là ! Mais il n'est jamais revenu. Je me demande s'il n'était pas égaré.

— Ce sera dans ton film ?

Coupée dans son élan, elle reste interdite.

— Le héron, la nature, les animaux, tu les montres ? On dirait que ça te passionne.

— Euh... non. C'est parce que je vis seule que j'y suis attentive.

— À propos de vivre seule...

— Ça se passe au mieux. Pour travailler, ce sont les conditions idéales.

— Ce n'est pas de ça qu'il s'agit et tu le sais. Je parle de...

— Non !

Elle a crié pour l'interrompre, puis reprend de manière plus maîtrisée.

— Non, je ne veux pas en parler.

— C'est pourtant pour ça que nous sommes venus, ton père et moi. Tu l'as compris ?

Claire hoche la tête. Elle ne peut pas empêcher sa mère de parler, seulement se fermer pour ne pas l'entendre, de peur qu'elle ne lui enlève ses forces. Rien ne peut arrêter Diane. Elle a toujours été ainsi, à mettre les pieds dans les plats, à dire la chose qu'il aurait mieux valu taire. Elle raconte : trois jours à lui téléphoner sans obtenir de réponse, l'appel chez Florence, la révélation de Marc, la route jusqu'ici. Claire s'est figée sur place, dure comme une statue, les mâchoires soudées, à essayer de s'abstraire de ce que dit sa mère. Soudain, une phrase la gifle plus fort que les autres :

— Ton père est malade.

Elle retrouve la parole.

— Malade ? Qu'est-ce qu'il a ?

— On ne sait pas. Il n'a pas consulté le médecin.

— Quels sont les symptômes?

— Des brûlures d'estomac. Et puis il est très fatigué. Il n'a même pas été capable de conduire jusqu'au bout : c'est moi qui ai fait la dernière partie du trajet.

Ce détail l'achève. Il ne lui aurait jamais laissé le volant sur cette route difficile s'il allait bien.

— Tu comprends, on ne peut pas en plus se rendre fous d'inquiétude pour toi.

Claire prend conscience de son égoïsme.

— Je te promets, maman, qu'il ne m'arrivera rien. Je ne me ferai pas de mal.

— Est-ce que je dois te croire?

— Bien sûr. Je suis désolée de vous avoir donné tout ce souci. J'étais un peu assommée, mais maintenant, ça va, c'est papa qui compte. Allons le retrouver.

Claire laisse Elfie dehors pour le cas où il dormirait, ce qui est le cas. Même dans le sommeil, il a les traits tirés. Son refus de visiter la maison voisine aurait dû l'alarmer, mais elle était trop enfermée dans son obsession pour se soucier de son père. C'est la première fois qu'il a ce teint gris, semblable à celui d'un gros fumeur. Diane n'a pas exagéré : il est évident qu'il ne va pas bien. Elles passent devant lui sur la pointe des pieds pour se rendre à la chambre, où Claire l'entraîne afin de préparer leur lit.

— Et toi, où dormiras-tu?

— Dans le salon. On s'en occupera après le souper.

Le visage de sa mère se crispe à la vue des photos. Elle doit être choquée par la présence de celle où Claire est avec Jean-Louis. Avant qu'elle ne fasse une remarque, Claire dit quelque chose, n'importe quoi.

— Comment as-tu trouvé madame Bolduc? Elle est sympathique n'est-ce pas? Mais son mari, je ne l'ai jamais vu que de dos. Il bougonne sans articuler, et le plus bizarre, c'est qu'elle le comprend sans effort. Elle lui pose une question, il répond par un grognement, et elle traduit : il pense que...

— Tu y vas souvent ?

— Au moins une fois par semaine.

Le lit prêt, elles quittent la chambre. Michel est en train de s'éveiller.

— Il y a longtemps que je n'avais pas fait la sieste. Une activité de vacances. C'est peut-être la magie de Charlevoix.

Il a décidé d'adopter un ton léger, Claire l'imite.

— Allez vous asseoir sur la terrasse, je vais vous montrer quelque chose.

Pendant qu'ils s'installent, elle va chercher le livre sur les oiseaux. Elfie, ravie de retrouver Michel, a mis la tête sur ses genoux et fermé les yeux pour mieux savourer ses caresses. Claire dépose l'ouvrage sur la table devant eux.

— Regardez-le. L'auteur a résidé ici avant moi. Il y a de belles photos d'oiseaux et les poèmes sont bons aussi. Pendant ce temps, je vais nous préparer une sauce à spaghettis.

Elle les laisse seuls. Diane pourra lui faire son rapport.

Claire se coupe en éminçant l'oignon, résultat de sa nervosité. Elle entoure le pouce blessé avec du papier absorbant et se met en quête d'un pansement dans la salle de bains. Il faut qu'elle se contrôle. Sa mère ne reviendra pas sur leur conversation, du moins elle l'espère. Il ne tient qu'à elle de vider la partie de son esprit *qui sait* et de ne penser qu'à eux, à la santé de son père et, pourquoi pas, à son documentaire. Isidore Beaulieu pourrait constituer un bon sujet pour meubler la soirée. Quand la sauce est prête, elle la met à mijoter et prépare une assiette de légumes crus et un bol de croustilles avant de retourner sur la terrasse. Son père sourit en découvrant les chips ; sa mère est plutôt portée sur le céleri et les carottes. Chacun a de quoi se satisfaire.

— Il paraît que tu souffres de l'estomac ?

— Ce n'est rien. Le pharmacien m'a donné un médicament à dissoudre dans l'eau qui me soulage.

— Pourquoi ne vas-tu pas chez le médecin ?

Il pose sa main sur celle de sa fille, large, chaude, sécurisante.

— Jusqu'à maintenant, je n'ai pas eu le temps, mais c'est pour cette semaine, je vous le promets à toutes les deux.

Puis il soupire d'aise.

— On est tellement bien sur cette terrasse ! Ça valait le voyage, n'est-ce pas, Diane ?

Elle approuve, même si elle semble penser, comme Claire, qu'il en met un peu trop. Il réclame la brosse de la chienne.

— Ses poils sont tout emmêlés, il ne faut pas la laisser comme ça.

— Je sais : je la brosse tous les soirs.

Elle va chercher l'objet et le lui tend, mais sa mère s'en empare.

— Je m'en occupe. Il faut que je m'entraîne : dès qu'il sera à la retraite, on aura un chien.

Elle appelle :

— Viens ma chouette, après tu seras toute belle.

L'argument n'augmente pas l'enthousiasme d'Elfie, qui obéit néanmoins, tête basse.

— Je n'en reviens pas : maman est décidée à avoir un chien !

— Première nouvelle. Elle doit me croire mourant et veut me procurer un dernier plaisir.

Claire lui donne une tape.

— Tu n'es pas drôle !

Mais ils rient quand même, parce que le spectacle de Diane en train de brosser la chienne avec un air dégoûté est plutôt cocasse. Elle doit s'imaginer assez loin pour qu'on ne le remarque pas.

— Je pense que le toilettage te reviendra, note Claire à l'adresse de son père.

— Aucun problème : j'aime ça.

Il lui prend le menton pour la forcer à le regarder dans les yeux.

— Et toi, ma grande, comment vas-tu ?

Elle aurait dû s'en douter : Diane est partie au fond du terrain avec la chienne pour les laisser seuls. C'est au tour de son père de lui parler.

— Ça va. Je travaille. Et dans ces moments-là, je ne pense à rien d'autre. Le reste s'éloigne et perd de sa réalité. Ne t'inquiète pas, je vais passer au travers.

— Tout de même, tu serais mieux à Montréal plutôt que dans cette maison isolée.

— Pas du tout. Je suis bien ici.

Elle se lève.

— Maman a besoin d'aide.

C'est fait. Lui non plus n'y reviendra pas.

Quand elle dresse le bilan de la journée, maintenant qu'ils sont au lit et qu'elle est enfin seule, un constat s'impose : leur arrivée toutes affaires cessantes lui a rappelé qu'elle n'était pas libre d'elle-même. Tout l'amour qu'ils lui portent, à elle, leur fille unique qu'ils ont tellement entourée, tellement soutenue, et au secours de qui ils ont accouru sans tenir compte de l'état de son père, est d'un poids considérable. Elle n'a rien dit puisqu'il a promis d'aller chez le médecin cette semaine, mais les symptômes qu'il décrit, et qui sont peut-être seulement les indices de problèmes gastriques, elle l'espère de toutes ses forces, ressemblent furieusement à des ennuis cardiaques, ce qui l'inquiète beaucoup. Il s'est mis au lit de bonne heure alors qu'il n'est pas un couche-tôt. Ce détail, ajouté à la sieste de l'après-midi et au fait qu'il a cédé le volant à Diane… Plus elle pense à tout cela, plus elle est soucieuse. Il ne peut pas, fatigué comme il l'est, conduire quatre heures demain. Quand elle a évoqué le retour avec sa mère, celle-ci a répondu d'un air crâne qu'elle se débrouillerait. Évidemment, si elle n'a pas le choix, elle y arrivera, mais dans quel état ? Claire ne peut pas les laisser partir seuls, ce serait de la folie. Elle va les ramener chez eux et reviendra en autocar.

Au lever, elle commence par téléphoner à madame Bolduc, qui compatit à la situation et accepte sans hésiter de garder Elfie. La commerçante lui confirme que l'autocar passe au village et lui propose de garer sa voiture derrière le dépanneur.

— Comme ça, vous l'aurez en revenant, et pendant que vous serez absente, on la surveillera. Laisser un véhicule dans un lieu isolé, ce n'est pas prudent.

Quand ses parents se lèvent, elle est en train de faire des crêpes avec la pâte préparée la veille. Elle attend qu'ils soient attablés devant une tasse de café pour leur annoncer qu'elle les accompagne à Montréal.

— Finalement, tu rentres ? demande son père.

— Non. J'ai seulement besoin de me procurer des livres. À mesure que j'avance, je me rends compte des informations qui me manquent. Je resterai deux jours et je ferai le retour en autobus.

Elle leur explique l'arrangement avec madame Bolduc.

— Dans ce cas…

Ils ne le disent pas, mais elle voit qu'ils sont soulagés. Ils conviennent de partir en début d'après-midi. Puisqu'elle va à Montréal, elle rapportera effectivement quelques livres. Faute d'avoir la possibilité de les remettre à temps, elle ne peut pas les emprunter à la bibliothèque, mais elle ira tenter sa chance dans les librairies d'occasion. Son père annonce qu'il va à la découverte du fleuve et sa mère l'accompagne. Claire devine qu'elle n'oserait pas le laisser y aller seul. Pendant ce temps, elle établira sa liste de lectures et préparera un léger bagage. Elle les regarde partir le cœur serré : son père, si curieux de tout, n'a même pas envisagé de visiter la maison d'Isidore Beaulieu. Sa démarche alerte est devenue celle d'un vieil homme.

Ils reviennent contents. Le soleil brille, le fleuve est à son meilleur.

Michel s'allonge après le repas et s'endort. Elles attendent son réveil pour prendre la route. Afin d'éviter que sa mère attaque de nouveau ce qu'elle ne veut plus aborder, Claire lui parle du projet de musée et des gens qui s'en occupent. Puis, comme il dort encore, elle lui demande de lui raconter les années soixante.

— Je pense toujours à ce documentaire sur la période de ta jeunesse, ce sera mon sujet suivant.

Même si sa réticence est évidente, Diane, sans doute heureuse de l'entendre évoquer l'avenir, accepte de répondre à ses questions. Pour ne pas l'effaroucher, car certains thèmes la dérangent, Claire commence par des généralités. Diane décrit les vêtements qu'elle a portés au genou jusqu'à son mariage parce que sa mère, très stricte, ne tolérait rien de plus court.

— Je me sentais ridicule à côté de Joëlle, qui suivait la mode avec sa jupe au ras des fesses. Dès que je sortais de la maison, je faisais trois tours à ma ceinture.

Michel émerge de sa sieste et leur reproche de l'avoir laissé dormir parce qu'en partant plus tard, ils auront à subir la circulation, mais elles prétendent avoir voulu profiter du temps ensoleillé. Les sacs déposés dans le coffre, Claire vérifie que tout est en ordre et verrouille la porte. Ils la suivent jusqu'au dépanneur, où elle gare sa voiture. Puis elle conduit la chienne dans le magasin. Quand elle l'attache derrière le comptoir, Elfie la regarde avec de grands yeux étonnés. Après l'avoir flattée et assurée qu'elle serait bien, elle remercie sa maîtresse d'adoption avant de se sauver. Elle entend un gémissement vite étouffé : la chienne l'oubliera sans difficulté, à en juger par le tas de biscuits au chocolat qui l'attend. Le vétérinaire serait scandalisé, mais il ne le saura pas.

Son père s'est installé à l'arrière. Un regard dans le rétroviseur le lui montre avec les yeux clos et les traits tirés. C'est la première fois qu'elle lui trouve l'air vieux et vulnérable, et il lui vient la pensée insupportable qu'elle pourrait le perdre. Pour la chasser, elle renoue le dialogue avec sa mère.

Elles reviennent aux années soixante. Diane est intarissable sur des détails que sa fille n'aurait aucune peine à découvrir par elle-même : encore les vêtements, puis les coiffures et les chansons à la mode. Claire essaie de l'aiguiller vers des choses plus personnelles. Par la bande, d'abord :

— Qu'est-ce que vous mangiez ? J'imagine qu'il n'était pas facile de se procurer des légumes variés.

Un petit rire.

— Sur chaque assiette, une boule de patates pilées, une cuillerée de pois et une de carottes. Ce qui changeait, c'était la viande : un jour du jambon, le lendemain du bœuf haché, le jour d'après des saucisses et on recommençait. Du poulet parfois et de la dinde à Noël.

— Vous n'aviez pas envie d'essayer autre chose ? Il y avait quand même des recettes dans les journaux, je suppose.

— En tout cas, pas ma mère.

Un silence. Claire attend.

— Moi, j'ai tenté quelques fois d'innover, mais mon mari n'aimait pas.

Alors que Claire espérait l'entendre enfin parler de ce mariage qui lui en apprendrait beaucoup sur la vie de sa mère et les mœurs de l'époque, Diane entreprend de lui raconter un incident qui a récemment perturbé la bibliothèque. Le message est clair, sa fille n'insiste pas.

Aux abords de Québec, la circulation s'intensifie. Diane devient nerveuse, même si ce n'est pas elle qui conduit. Pour la première fois, la conversation tombe. Dès que le silence s'installe, les angoisses de Claire remontent, du creux du ventre jusqu'à la gorge. Les vieilles en arrière-fond, comme une base indélogeable, et les nouvelles qui s'ajoutent, toutes fraîches et bien vives. En ce moment, ce qui surnage du magma, c'est la nécessité de passer au moins une nuit à Montréal. Or, elle ne peut pas aller chez elle. C'est impossible. Pas sans s'y être préparée. Et là, elle n'en a pas le temps. Rien que de s'imaginer mettant sa clé dans la serrure, ses mains tremblent et la nausée menace. Que faire ? Elle pourrait dormir à l'hôtel, mais si sa mère téléphone et n'obtient pas de réponse, elle s'affolera. À moins que Claire lui dise de l'appeler sur le cellulaire, mais il faut trouver une raison. De toute façon, depuis qu'il n'a pas servi, il a eu le temps de se décharger. Et puis, cela lui revient à l'instant, il est dans la boîte à gants de sa voiture.

— Tu vas être fatiguée en arrivant, ce serait mieux que tu dormes à la maison cette nuit.

Comme toujours, elle a deviné. Sa chère maman. DIANE VOYANCE EN TOUT GENRE. À moins qu'elle ne l'ait que pour sa fille, ce don de double vue. Claire répond que c'est une bonne idée et, pour une fois, sa mère sait en rester là. Le danger est passé. Ce danger-là, du moins. Il y en aura bien d'autres, mais pour le moment, le soulagement d'y avoir échappé l'allège assez pour lui permettre de penser aux livres et aux librairies où elle ira à leur recherche. Après la totale solitude des dernières semaines, est-ce qu'elle va avoir le tournis au milieu des passants affairés ? Il est probable que non : ayant toujours vécu en ville, elle aura le senti-ment d'être revenue dans son élément naturel. L'envie la prend de s'installer à une terrasse, de commander un café, d'étaler ses jambes au soleil, d'être oisive pendant que les gens se pressent. Elle s'y voit sur cette terrasse de la rue Saint-Denis où elles s'arrêtent après avoir couru les boutiques. *Elles s'arrêtent…* La terrasse, c'est fini, emportée avec le reste. Finis les essayages avec les fous rires sur le dos des vendeuses qui prétendent invariablement que *Ça vous fait bien* même si on a l'air d'un sac de patates. Plus de maga-sinage. Plus de terrasse. Plus de meilleure amie. Elle sera désormais seule devant son café. Aussi seule que dans sa maison d'emprunt au bord du fleuve. Son accès de bonne humeur retombe. Elle ne voit plus qu'une épreuve dans le bref séjour en ville.

Québec est derrière eux et la voiture fonce vers Montréal, un peu trop rapidement au gré de Diane qui fait remarquer à sa fille qu'elle dépasse la vitesse permise. Claire répond qu'il faut en profiter avant de rejoindre les citadins qui rentrent du chalet et vont bientôt les forcer à ralentir, peut-être même à s'arrêter.

— C'est une mauvaise raison.

La discussion s'éternise et elles la font durer à plaisir parce qu'elle les libère du silence et les dispense de l'effort de trouver un autre sujet. Soudain, les reproches cessent au milieu d'une phrase. Claire jette un coup d'œil latéral et voit sa mère crispée, le regard fixé sur le miroir du pare-soleil qu'elle a orienté dès le départ pour avoir Michel dans son champ de vision.

Diane se retourne et demande :

— Ça va ?

Il acquiesce, mais d'une voix si lasse que sa fille annonce un arrêt à la prochaine sortie. Il dit que c'est inutile. Elle prétend avoir besoin d'aller aux toilettes.

Dès que la voiture est garée sur le terrain de la station-service, sa mère descend et lui ouvre la portière.

— Sors, ça te fera du bien de respirer.

Il hoche la tête, comme s'il n'avait même plus la force de parler, et s'accroche au siège de devant pour s'extirper du véhicule. Elle lui tend la main, mais il lui fait signe de s'éloigner. Il ne veut pas d'aide, il va sortir seul. Seulement, il n'y parvient pas. Son teint est plombé, ses lèvres décolorées, il a besoin de secours.

Claire enregistre en même temps son regard terrifié à lui, perdu à elle. Le temps presse.

— Maman, donne-moi ton cellulaire, j'appelle le 911.

En l'absence de réponse, elle fouille dans le sac de sa mère. Munie de l'appareil, elle s'éloigne un peu pour alerter les secours tout en gardant un œil sur son père. Sa correspondante lui dit de se calmer, qu'elle est incompréhensible. Elle serre les dents, inspire, puis recommence. On la fait répéter, préciser des détails.

Elle a envie de hurler :

— Dépêchez-vous ! Il va mourir !

Mais l'autre le sait, car elle dit :

— Ça ressemble à une crise cardiaque. Donnez votre situation exacte, j'envoie une ambulance.

Claire court vers le bâtiment, où elle entre en criant comme une folle. Le gars à la caisse saisit tout de suite. Il lui prend l'appareil et dicte l'adresse lui-même. Puis il la suit jusqu'à la voiture tout en écoutant les consignes de premiers secours. Un petit attroupement s'est formé qu'il oblige à reculer.

— L'ambulance arrive. En attendant, je sais quoi faire.

Le plus difficile est d'éloigner Diane, qui tient la main de son mari et accapare l'espace au-dessus de lui.

— Madame, s'il vous plaît, il a besoin d'air.

Une femme lui prend le bras et l'entraîne.

— Il faut ouvrir toutes les portières.

Claire s'en charge.

— Que quelqu'un aille chercher une chaise.

Un homme y court. Le secouriste improvisé se place à côté de Michel.

— Monsieur, on va vous allonger, laissez-vous faire, on s'en occupe.

Il dit à Claire de lui soulever les jambes et lui-même saisit le malade aux épaules avec précaution. Ils le couchent.

Michel proteste faiblement :

— Je n'ai mal nulle part. Tout ça est inutile.

La chaise est là et l'homme aide Claire à y déposer les jambes de son père qui dépassent de la banquette.

— Il faudrait une couverture.

Un des badauds en a une dans son coffre.

— Voilà, on a la situation en main, il n'y a plus qu'à attendre l'ambulance.

Claire s'agenouille sur le siège avant et effleure l'avant-bras de son père.

— On s'occupe de toi, papa.

— Je suis juste fatigué.

Il a du mal à parler. Elle lui recommande de se taire pour ne pas s'épuiser davantage. Il reprend quand même :

— On était presque arrivés. Je me serais reposé à la maison.

Diane, qui a échappé à la bonne samaritaine, revient à ses côtés.

— Michel ? On est là. Tiens le coup.

Il essaie de lui sourire, n'y parvient pas et ferme les yeux. Affolée, le corps secoué de sanglots réprimés, elle regarde sa fille comme si celle-ci avait le pouvoir de remédier au problème. Claire aussi se retient de pleurer. L'ambulance n'arrive pas. L'employé de la station-service est retourné à sa caisse. Les badauds, ne se décidant pas à partir, se racontent des accidents pour lesquels les secours ont mis un temps infini à se rendre sur les lieux. *Et c'était trop tard*, glapit une femme. Son mari lui désigne la voiture d'où Claire lui jette un regard furibond, et elle s'empresse d'ajouter que d'habitude ils sont très rapides. D'ailleurs, l'appel a été passé il y a juste dix minutes. Dix minutes ? Claire aurait plutôt dit deux heures, mais la femme doit avoir raison. Dix minutes, c'est normal, surtout que la circulation est dense. Le visage terreux de son père est toujours aussi inquiétant, mais il respire sans trop d'effort.

Enfin, une sirène d'ambulance couvre les bruits de la route.

— Ils arrivent, annonce Diane, ils vont s'occuper de toi.

Il ne proteste plus, ne prétend plus qu'il n'en a pas besoin. Dès qu'ils sont là, c'est un tourbillon. Pour commencer, ils repoussent tout le monde. Claire et Diane regardent de loin, reléguées au premier rang des badauds qui se sont écartés pour leur céder la place. Un ambulancier s'active au-dessus de Michel pendant que l'autre prépare la civière.

Tout le temps que dure l'intervention, Claire a un curieux sentiment d'irréalité. L'impression d'être dans une scène de série télévisée où l'intensité dramatique est maximale et où tous les détails montrent l'urgence. On comprend que si les ambulanciers perdent un instant, le patient mourra. Des ordres brefs jaillissent de toute part, les gestes sont assurés, réglés au quart de tour et, en un rien de temps, la situation est maîtrisée, l'ambulance démarre dans un envol de gravillons afin de rallier au plus vite l'équipe qui l'attend pour sauver le malade. À la fin de l'épisode, il est hors de danger. Sa femme, admise à ses côtés, lui prend la main et lui dit qu'elle l'aime. Il ouvre les yeux, esquisse un pâle sourire et chuchote dans un souffle : *Réserve les places pour la croisière sur le Nil.*

Quand Claire se retrouve seule sur l'autoroute en direction de l'hôpital où l'ambulance conduit ses parents, son père sur la civière avec un masque à oxygène et une perfusion et sa mère qui lui a lancé avant de disparaître un regard désespéré, elle se demande ce qu'il y a de vrai dans ces clichés télévisuels. En contrepoint lui viennent des images trop fréquemment vues aux nouvelles : du personnel se plaignant de conditions de travail inhumaines, de fatigue, de surmenage, et des couloirs d'hôpitaux pleins de patients dont personne n'a le temps de s'occuper. À l'arrivée, y aura-t-il quelqu'un pour soigner son père ?

Le trafic est lent sur la 40 encombrée. Elle allume la radio, puis l'éteint. L'intrusion de la vie normale l'agresse. Pour repousser l'angoisse, elle se raccroche à des pensées positives : il n'a pas perdu connaissance, l'ambulance est arrivée à temps, ils vont le guérir. Il prendra désormais des précautions et vivra jusqu'à cent ans. Pourvu qu'ils ne soient pas bloqués par la circulation ! Le temps presse, son cas va s'aggraver s'il ne parvient pas rapidement à l'hôpital. Y a-t-il un médecin à bord ? Elle l'ignore. Peut-être sont-ils seulement secouristes. Feront-ils les gestes qu'il faut si l'état de son père devient critique? Bien sûr, ils sont formés pour les cas d'urgence. Bien formés? Elle ne sait pas. Jean-Louis doit le savoir. Il sait ces choses-là. Elle espère de toutes ses forces que ces ambulanciers connaissent leur affaire. Elle veut que son père vive, qu'il ait des années devant lui pour construire l'atelier dont il rêve. Qu'il puisse s'immerger dans sa peinture comme elle dans la réalisation de films et en revenir léger et heureux, lavé de ce qui noircit le quotidien. Une sirène de police retentit. Un regard dans le rétroviseur lui montre que le véhicule remonte très vite la file des automobiles par la bande de service. Cette vision la rassure: l'ambulance l'aura également empruntée, ils arriveront à temps.

Enfin, l'embranchement de la 15. Avant de partir, le chauffeur lui a jeté: *Hôpital du Sacré-Cœur, 15 Nord, sortie Salaberry et boulevard Gouin Ouest.* S'ils ne lui ont pas donné l'adresse exacte, c'est qu'il doit être facile à trouver. Elle ne connaît pas cette partie de la ville et a intérêt à être attentive pour ne pas s'égarer, ce qui la retarderait encore. Sur la 15, la circulation est plus fluide. Elle arrive vite à la sortie, puis, sans difficulté, au boulevard Gouin et à l'hôpital. C'est au diable vauvert, mais au moins il y a un stationnement. Même si toutes les places à proximité de l'entrée sont occupées, c'est moins compliqué qu'au centre-ville. En descendant de la voiture, elle a du mal à se déplier en raison de courbatures. Il est probable que depuis l'arrêt à la station-service son corps est resté raidi, crispé, dans l'attente d'un nouveau coup. Tout ce qui lui arrive est mauvais et elle a peur de ce qui peut encore survenir. Tellement peur de perdre son père. Jean-Louis, qui ne doute jamais, aurait les mots qu'il faut pour lui donner confiance. L'hôpital est immense et il lui vient la stupide frayeur de ne pas retrouver Michel. *Monsieur Gadelier? Comment dites-vous? Michel Gadelier? Non. Nous n'avons personne de ce nom. — C'est impossible, il est arrivé en ambulance. — Ah! Dans ce cas, il n'est pas ici. Nous n'avons plus de place. Les ambulances sont détournées sur Laval, Longueuil, le centre-ville… Je ne peux pas vous aider. Il faut que vous le trouviez par vous-même.* Elle doit respirer, se calmer, s'informer. Et même s'il n'était pas là, ce ne serait pas une tragédie : il serait ailleurs, dans un lieu où l'on s'occupe de lui.

À l'entrée, on la dirige vers les urgences. Quelques kilomètres de couloirs la conduisent à une salle d'attente bondée. Elle scrute fébrilement les visages et la trouve. Sa mère, dont on dit qu'elle ne paraît pas son âge, elle qui court plusieurs matins par semaine, qui est toujours prête à se lancer dans une nouvelle activité, sa mère, recroquevillée sur son siège à l'instar d'une vieille femme, les mains crispées sur la veste d'homme qu'elle froisse sans s'en rendre compte, regarde fixement une employée assise dans une cage de verre. Claire comprend pourquoi lorsque celle-ci fait un appel que le micro rend nasillard. Une famille se lève d'un coup pour se précipiter vers l'homme en blouse blanche survenu dans l'encadrement de la porte. Il leur parle, leurs visages se défont. Sa mère se défait avec eux comme si la nouvelle qu'elle attendait dépendait de celle qu'ils ont reçue, comme s'il pouvait y avoir une contagion du malheur. Claire la rejoint et se place devant elle. Diane s'écarte pour garder la cage de verre dans son champ de vision avant de réaliser que l'obstacle, c'est sa fille.

— Ah, te voilà.

Elle désigne la femme au micro.

— Elle va nous appeler.

Elles s'assoient.

— Comment s'est passée l'arrivée de l'ambulance ?

— Ils ont posé la civière sur un chariot et ils ont disparu. Un gardien en uniforme m'a expliqué où aller, et cette femme, là, m'appellera quand le docteur voudra me parler. Et toi ? Ça n'a pas été trop compliqué ?

— Non. J'ai mis du temps à cause du trafic.

Elles n'ont plus rien à dire, seulement des questions plein la tête. Elles demeurent silencieuses, les yeux rivés sur le corridor d'où une blouse blanche surgira avec les réponses.

Dans la salle d'attente, tout le monde est nerveux et angoissé et cette ambiance ajoute à leur propre malaise. Une famille entière est là, jeunes enfants compris, et ces derniers mettent un peu de vie dans la morne pièce. Leur mère tente de les empêcher de faire du bruit, n'y parvient pas et regarde les gens autour d'elle avec une mimique contrite. Claire les suit des yeux tandis qu'ils se poursuivent parmi les chaises, ce qui la distrait un peu. Elle essaie d'imaginer pour qui ils sont là. Il y a un jeune couple, un garçonnet de sept ou huit ans, une adorable fillette qui doit avoir moins de quatre ans et un homme mûr. Le père de l'homme ou de la femme? De l'homme. C'est à lui qu'il parle. C'est donc la belle-mère de la jeune femme que l'ambulance est venue chercher. La petite fille a une robe de princesse et ils sont d'ailleurs tous bien habillés. L'accident de santé est survenu pendant qu'ils fêtaient quelque chose, un anniversaire, peut-être. Ont-ils eu le temps de manger le dessert? d'ouvrir les cadeaux? Les deux hommes parlent à la femme avant de s'éloigner. Elle a essayé de les retenir, de les convaincre de partir à tour de rôle, mais ils ont haussé les épaules et quitté la salle, leur paquet de cigarettes à la main. Comme une cigarette lui ferait du bien! Elle pourrait les suivre et leur en demander une. Le plus jeune tendrait son paquet pendant que l'autre la regarderait d'un air méfiant. Elle dirait : *Excusez-moi, j'ai arrêté de fumer il y a cinq ans, mais là...* Il hocherait la tête, compréhensif, et approcherait la flamme de son briquet. D'un signe, il désignerait la salle de l'urgence. *Vous êtes là pour qui? — Mon père. — Moi, c'est ma femme. Il y a plus de trois heures qu'on attend et ils ne nous ont rien dit.* Ce serait à son tour d'être empathique, mais elle ne dirait rien pour ne pas gâcher un seul instant de la précieuse cigarette. Elle inhalerait à fond, les yeux fermés. La première bouffée lui ferait tourner la tête — elle avait oublié que c'est aussi fort, aussi bon. À la fin du petit plaisir trop court, elle serait prête à aller acheter un paquet et à le fumer jusqu'au bout. Et demain, le goût de cendrier dans la bouche, la gorge douloureuse, l'haleine fétide, la culpabilité. Ils reviennent, c'est trop tard. Elle doit se contenter du fantasme. C'était pourtant le bon moment : elle avait toutes les excuses nécessaires pour recommencer. Même Jean-Louis n'aurait pas pu le lui reprocher.

Le temps passe avec une lenteur infinie. À chaque bruit de micro qui précède un appel, elles sursautent, puis se figent, le corps tendu vers la femme qui va prononcer un nom, peut-être celui qu'elles espèrent. Elles ont peur de ne pas le comprendre, parce que le micro déforme la voix, et qu'alors le médecin surchargé de travail reparte sans leur parler, trop occupé pour attendre. Quand enfin elle dit : *Michel Gadelier. Pour Michel Gadelier,* elles quittent leurs sièges comme des ressorts et courent presque jusqu'à la femme en blouse blanche qui les attend à côté de la cage de verre.

Elle leur serre la main et s'adresse à Diane :

— Docteur Béland. Vous êtes la conjointe de Michel Gadelier ?

Incapable d'articuler, Diane se contente d'acquiescer d'un mouvement de tête.

Claire répond à sa place :

— Oui. Et moi, je suis sa fille.

— Bien. Les examens ont montré que monsieur Gadelier a subi un infarctus du myocarde.

Les voyant pâlir, elle précise aussitôt :

— Il a été pris en charge à temps, son état est stabilisé. Il vient d'être transféré en cardiologie pour subir une coronarographie. Vous savez ce que c'est ?

Elles font signe que non.

— On injecte dans les artères un produit qui les rend visibles aux rayons X et on peut ainsi déterminer le degré d'obstruction.

La suite dépendra du résultat de cet examen. Vous devez aller au service de cardiologie pour accomplir les formalités administratives. Désormais, c'est eux qui vous informeront.

Elles remercient le médecin, qui leur souhaite bon courage, puis s'en vont à la recherche du service de cardiologie. Elles y parviennent au terme d'un marathon au cours duquel elles se collent au mur à plusieurs reprises pour laisser passer des civières, des blouses bleues, vertes, blanches, des chariots transportant du linge ou de la nourriture. Derrière le comptoir, plusieurs employées font trente-six choses en même temps et aucune ne semble s'apercevoir de leur présence. Elles patientent, assommées par l'inquiétude, l'attente et la fatigue. Il est clair que ces femmes travaillent, et Claire et Diane savent qu'après les formalités il faudra attendre encore, alors, à quoi bon essayer d'attirer l'attention, dire qu'elles sont là, qu'elles existent et qu'elles souffrent? Une femme au visage las finit tout de même par leur demander ce qu'elles veulent. Diane essaie de lui expliquer ce qui est arrivé, d'où elles viennent, ce qu'a dit le premier médecin. Claire sent que l'autre n'écoute pas vraiment, et cela se confirme quand elle se tourne vers une de ses collègues pour répondre à une question lancée à la cantonade. Après un bref échange, elle revient à elles, lève les yeux sur Diane.

— Son nom?

— Michel Gadelier.

Elle cherche dans la pile devant elle.

— Le dossier n'est pas encore arrivé. Allez vous asseoir, on vous appellera.

Chaque fois qu'un employé vient déposer des documents sur le comptoir, elles se tendent, prêtes à bondir, mais personne n'est appelé et le passage du temps les ronge, introduisant en elles toutes sortes de doutes. Si ce n'était pas le bon service? S'il avait été amené ailleurs? Ou s'il n'avait rien du tout, qu'on lui ait donné son congé et qu'il soit perdu dans l'hôpital à se demander où elles sont, pourquoi elles l'ont abandonné?

Lorsque l'appel survient enfin: *Michel Gadelier. Pour Michel Gadelier,* elles sursautent comme si elles ne l'attendaient plus. L'employée de tout à l'heure tend à Diane un formulaire fixé par une pince sur une surface rigide et lui dit de le remplir. Diane se prépare à le faire au comptoir, mais on l'envoie s'asseoir en lui recommandant de prendre le temps de le compléter comme il faut. Diane fouille dans les poches de la veste qu'elle serre contre elle, et qui est complètement chiffonnée, pour en extraire le porte-feuille de Michel, d'où elle sort sa carte d'assurance maladie.

— Je l'ai déjà rempli à l'urgence. Je me demande pourquoi ils réclament la même chose. Tu crois qu'ils ne se transmettent pas les informations? Dans ce cas, tout est à recommencer et ils perdent du temps. Du temps, il n'en a pas, il faut qu'on s'occupe de lui au plus vite.

Sa voix aiguë fait tourner quelques têtes. Elle est au bord de la panique. Claire lui parle posément:

— Mais non, voyons. Il faut un dossier dans chaque service. D'ailleurs, on nous a appelées, ce n'est pas nous qui avons donné son nom. Ça prouve qu'il est ici et qu'on le soigne.

Diane est épuisée et sa velléité de révolte tombe comme elle était venue. Claire a adopté un ton assuré pour lui répondre, mais elle n'est pas moins inquiète. Est-ce qu'elle sait si on s'occupe de lui? Non. Seulement qu'il faut écrire sa date de naissance et celle de ses parents.

Diane est perdue.

— Sa mère, je sais, mais son père, je ne m'en souviens pas.

— Ce n'est pas grave. Il le complétera, lui.

Claire a répondu machinalement, mais au regard de Diane, elle découvre qu'elle est tombée par hasard sur la phrase qui pouvait donner le plus d'espoir. Si elle pense qu'il pourra fournir ces informations, c'est qu'il ne va pas si mal. Sur le formulaire, il faut également indiquer s'il y a dans son ascendance des antécédents de problèmes cardiaques, et cela non plus Diane ne le sait pas. Lorsqu'elle a terminé, elle lui tend les feuilles.

— Vérifie-les.

Apparemment, c'est correct, et elles se lèvent ensemble pour les rapporter au comptoir. L'employée les vérifie à son tour, montre du doigt les cases vides.

— Vous l'ignorez?

— Oui.

— Ce n'est pas grave. Vous le lui demanderez.

Diane regarde sa fille d'un air entendu, heureuse soudain que la femme ait dit la même chose qu'elle, comme si elles savaient toutes les deux qu'il va s'en tirer. Puis on lui donne une deuxième feuille.

— Vous devez également signer ceci. Avant, lisez-le attentivement.

Elles retournent à leur siège et lisent ensemble. Il s'agit de l'autorisation d'opérer si nécessaire. Et là, l'espoir retombe. Si on demande à sa conjointe de donner cette autorisation, c'est que le malade en est incapable. Le document est aussi destiné à dégager l'hôpital de toute responsabilité quant aux suites de l'intervention. En d'autres termes, s'ils le tuent, ce ne sera pas de leur faute et elles n'auront rien à dire. La main de Diane est crispée sur le stylo. Claire devine qu'elle a le sentiment de signer la condamnation à mort de son mari.

Il commence de faire sombre. Elles n'ont rien bu ni mangé depuis longtemps. Claire propose d'aller chercher quelque chose à la cafétéria, Diane refuse.

— Je ne veux pas que tu t'éloignes: quand ils nous appelleront, il faut que nous soyons là toutes les deux pour êtres sûres d'avoir bien tout compris.

Elle a raison et Claire n'insiste pas. Une femme assise à deux sièges d'elles a entendu leur échange et offre d'y envoyer son fils. Claire jette un coup d'œil au garçon d'une douzaine d'années absorbé par son jeu électronique et se prépare à refuser quand la mère ajoute :

— Ça lui fera du bien de lâcher cet appareil et de bouger un peu.

Elle l'interpelle :

— Simon !

Il grogne sans relever la tête.

— Simon, je te parle !

— Mmm…

— Tu vas aller à la cafétéria chercher…

Elle regarde Claire. Un peu gênée, celle-ci répond :

— Deux cafés et deux muffins.

— OK, je finis la partie.

Une minute plus tard, il tourne vers elles un visage typique d'adolescent ennuyé. Claire lui tend un billet de vingt dollars.

— C'est très gentil de ta part. Tu prendras en même temps quelque chose pour toi et pour ta maman.

Il demande à sa mère s'il peut avoir des chips sur le ton de celui à qui d'habitude on répond que c'est mauvais pour la santé. Elle soupire, accepte et commande un café pour elle aussi. Le visage de l'ado qu'il n'est pas encore tout à fait s'éclaire et redevient celui d'un petit garçon. Il part à fond de train. La conversation s'engage avec la mère. Ils sont là pour son conjoint. Ils attendent depuis des heures. Elle est fatiguée, ravagée, désespérée. Comme tout le monde autour. Simon revient avec ce qui lui a été commandé. Il ressort aussitôt son jeu et se remet à jouer en piochant d'un mouvement régulier dans le paquet de chips. Le café est mauvais, mais il est chaud. Claire et Diane ne touchent au muffin ni l'une ni l'autre. Manger leur ferait sans doute du bien, mais elles en sont incapables.

La nuit est tombée lorsqu'elles entendent de nouveau : *Michel Gadelier. Pour Michel Gadelier.* L'homme qui les accueille a l'air si fatigué qu'il ne peut apporter qu'une mauvaise nouvelle. Il leur tend la main :

— Docteur Tremblay, service de cathétérisme cardiaque.

Elles se présentent aussi et attendent, pendues à ses lèvres, nouées d'appréhension. Le regard qu'elles fixent sur lui est tellement anxieux qu'il commence par la fin.

— L'angioplastie de monsieur Gadelier est terminée et s'est bien passée.

— Il va bien ? demande Diane d'une voix qui n'y croit pas encore.

— L'intervention s'est déroulée normalement et il est sous surveillance constante.

Le médecin survole la salle d'attente et avise un lieu un peu isolé.

— Allons nous asseoir.

Il leur dit que la coronarographie a révélé une artère fortement obstruée nécessitant une angioplastie d'urgence. Devant leur visible incompréhension, il en explique les modalités. Elles apprennent que l'on introduit, sous anesthésie locale, un cathéter dans l'artère à partir de l'aine. Le cathéter est gonflé et forme un ballon qui écrase contre les parois de l'artère la plaque de substance graisseuse qui la bouche afin de permettre au sang de circuler.

— Il est maintenant dans la salle de compression pour la surveillance postdilatation. On lui laisse le cathéter jusqu'à demain. À ce moment-là, on procédera à des analyses sanguines et à un électrocardiogramme. Si tout va bien, il pourra rentrer à la maison demain soir.

Le soulagement leur coupe les jambes.

— On peut le voir ? tente Diane.

— Il se repose. Rentrez chez vous, vous le verrez demain. Il est inutile de venir avant l'après-midi : il aura des soins toute la matinée et vous n'aurez pas accès à sa chambre.

Elles le remercient. Il s'en va. Sa nuit à lui n'est pas finie. Toute la force qui les tenait en attente les a désertées maintenant qu'elle n'a plus d'objet et elles restent là un moment, écrasées sur leurs chaises comme des loques.

Claire se secoue la première :

— Allons-y, ça ne sert à rien de rester ici et nous avons besoin de repos.

— Tout de même, j'aurais voulu le voir.

— Tu as entendu le docteur : ce n'est pas possible. On le verra demain.

Elles s'en vont après un au revoir à la femme, qui n'a toujours pas de nouvelles de son mari. Simon a fini par s'endormir, la tête sur les genoux de sa mère. Le bonheur de savoir Michel sauvé n'a pas encore tout à fait trouvé le chemin de leur conscience, ce qui leur évite d'afficher une joie indécente devant cette femme. Incapables de se concentrer sur les indications de sortie, elles errent un moment dans les couloirs silencieux. Enfin parvenue à l'air libre, Diane, qui avait tenu bon jusque-là, éclate en sanglots. Claire la serre dans ses bras et pleure avec elle. Elles restent ainsi longtemps dans la nuit, sur les marches de l'hôpital, avant de repartir vers la voiture qu'elles voient de loin, seule tout au fond du stationnement. À cette heure-ci les rares véhicules sont agglutinés à proximité de l'entrée. Après tout ce temps passé dans l'atmosphère confinée des salles d'attente, l'air frais les revigore, mais le trajet en voiture les assomme de nouveau et, arrivées à la maison, elles n'ont ni la force de manger ni celle de préparer le lit de Claire. Celle-ci se couche avec sa mère, qui prend un somnifère et lui en propose un. Elle refuse, sûre de s'endormir aussitôt.

C'est effectivement ce qui se produit, mais quand elle s'éveille, persuadée d'avoir dormi jusqu'au matin, elle constate avec découragement que trois heures seulement ont passé. C'est encore le milieu de la nuit. Elle essaie de retrouver le sommeil ; les pensées qui font un carrousel dans sa tête l'en empêchent. Toutes les images repoussées pendant l'attente surgissent maintenant. Son père paralysé par un AVC, réduit à l'état de légume, bloqué dans un fauteuil roulant pour des années. Son père mort. Il aurait pu mourir cet après-midi, disparaître de leurs vies d'un instant à l'autre. Sa mère serait devenue veuve, seule pour le reste de son existence, alors qu'ils ont tant de projets pour leur retraite. La croisière sur le Nil, mais aussi des désirs de bons vivants : faire une étude comparative des whiskies écossais, partir à l'aventure sur les routes de France, essayer les spécialités de la gastronomie régionale, manger en Italie une vraie pizza… Son père, sa vie coupée au moment où il était sur le point de pouvoir se consacrer à la peinture, éclairé par la verrière de ses rêves dans l'atelier qu'il allait construire. Son père sur l'amour de qui elle a toujours compté, qui a parcouru hier tout ce chemin pour venir à son secours après avoir minimisé son état à cause d'elle. Son père qui n'aurait sans doute pas eu de crise cardiaque s'il ne s'était pas imposé la fatigue de ce voyage. Son père dont la crise cardiaque aurait pu le tuer parce qu'elle a été trop égoïste pour penser à lui, à eux, pour leur dire de ne pas s'inquiéter, qu'elle vivra malgré tout. Car elle n'a pas tenté de mourir. Non, elle voulait seulement dormir, dormir assez longtemps pour qu'à son réveil tout cela n'existe plus. À son réveil, Jean-Louis répondrait au téléphone, Florence et Marc auraient envoyé une lettre du Mali, Jean-Louis lui annoncerait son arrivée pour samedi et lui chuchoterait, complice et amoureux, *On pourrait essayer de faire un cousin ou une cousine au petit Élian.* Elle s'efforce de ne pas bouger par crainte de déranger sa mère, mais bientôt n'y tient plus : il faut qu'elle se lève. Elle referme doucement la porte et descend à la cuisine boire un verre de lait puisque c'est censé aider au sommeil. Puis elle prend des draps dans l'armoire du couloir et fait le lit de son ancienne chambre en évitant de regarder le mur où s'étale l'affiche que Florence possède aussi et qui les a immortalisées lorsqu'elles jouaient *Le Cid*, Florence

Rodrigue, Claire Chimène. Ensuite, incapable de se recoucher tout de suite, elle récupère son ordinateur portable dans son sac et s'assoit au bureau qu'elle a utilisé jusqu'à son entrée à l'université, moment où elle a quitté ses parents pour vivre avec Jean-Louis. Ces quelques heures de crise passées sans lui, qu'elle vient de traverser sans son aide et sans même l'aide de quiconque, car sa mère n'était guère en état de la soutenir, c'est plutôt l'inverse qui s'est produit, l'ont rendu plus lointain que ne l'avaient fait sa lettre, son abandon et sa trahison. Maintenant qu'elle a eu besoin de lui et qu'il n'a pas été là pour l'assister, elle sait qu'il est vraiment parti et cela lui donne le vertige.

Elle avait pensé consulter ses courriels au matin, mais puisqu'elle est éveillée et ne risque pas de déranger sa mère, autant s'en occuper maintenant. Il y en a des quantités mais rien d'intéressant. Elle supprime les pourriels et, archivant sans les ouvrir les multiples circulaires qui s'adressent aux membres de la profession, elle les réserve pour une lecture ultérieure. Pas de messages personnels. C'est normal : elle avait averti tout le monde qu'elle n'y aurait pas accès. Il y en a un, toutefois, qui a failli lui échapper même si elle en connaissait l'existence : celui de Marc. Elle a la tentation de l'effacer sans parvenir à s'y résoudre. Une adresse cliquable, un nom d'usager, un mot de passe la conduisent à un film. Il est muet et dure quinze minutes. La structure est répétitive : une date en noir sur fond blanc, quelques images, une autre date, puis d'autres images, et ainsi de suite depuis le dernier réveillon jusqu'au départ pour le Mali. Les images montrent Florence qui regarde Jean-Louis, Jean-Louis qui regarde Florence, Florence et Jean-Louis qui se regardent. Des yeux qui se baissent trop vite. Des regards qui se détournent, s'enhardissent, s'attardent, tout cela à son insu, car elle est toujours là, pas dans le champ de la caméra mais à proximité : on voit sa main tendre un plat, servir du vin, prendre une tranche de pain dans la corbeille. Et Marc est là aussi, l'œil derrière l'objectif, qui n'a pas vu sur le moment, mais qui s'est souvenu par la suite et est allé rechercher ces images. C'est ténu : un seul de ces regards ne prouverait rien, mais il y en a des dizaines. Et puis, alors qu'elle s'attendait à une xième variante de la même scène, on passe à autre chose. Elle reconnaît l'appartement de Florence, son blouson sur la patère, celui de Jean-Louis à côté. La caméra balaie le sol jonché de vêtements : le chemisier de Florence, le tee-shirt de Jean-Louis, un soutien-gorge, deux jeans, une culotte en dentelle noire sur un boxer blanc et puis leurs pieds, dans une position sans équivoque, et leurs deux visages ahuris. La suite ne montre plus que Florence. Ce sont des arrêts sur image : semblable à un mime, elle lève au ciel des yeux exaspérés, elle invective, supplie, claque une porte. La dernière prise la montre qui se dirige vers un taxi avec deux valises et un énorme sac à dos.

Claire se couche dans ce lit qu'elle n'a plus occupé depuis la maladie dont elle a failli mourir au début de la vingtaine et reste longtemps éveillée. Quand les premiers oiseaux chantent, il fait encore sombre. Elle ne savait pas qu'ils commençaient avant le jour. C'est sa dernière pensée consciente. Un bruit la réveille et elle sent l'odeur du café. Elle a dormi, finalement, mais elle n'est pas reposée. Ses yeux brûlent, sa tête est douloureuse. Elle se lève, prend une longue douche et va rejoindre à la cuisine sa mère qui n'est pas en meilleur état qu'elle.

— J'ai averti la bibliothèque que je serai absente quelques jours. Maintenant, il faut que j'appelle Maurice.

Mais elle reste assise, accablée à l'idée de recommencer le récit qu'elle vient de faire à son supérieur hiérarchique et de revivre la journée de la veille.

— Je m'en charge.

La nouvelle bouleverse son associé.

— C'est vrai qu'il avait mauvaise mine. Il aurait dû consulter un médecin. On ne prête pas assez attention aux signes.

Il lui demande si elles ont besoin de lui.

— Non, pas pour le moment.

Elle promet qu'elle n'hésitera pas à l'appeler si c'est le cas.

— Comment va ta mère?

— Elle tient le coup.

Il veut savoir quand il sera visible. Elle lui répond qu'elles iront à l'hôpital en début d'après-midi et que, si tout va bien, elles le ramèneront ce soir.

— Dis-lui qu'il ne s'inquiète de rien. Je peux m'occuper de la *shop* tout seul. Qu'il se repose et qu'il guérisse. Et puis, tu me téléphones pour me tenir au courant, n'est-ce pas?

— Bien sûr.

Le médecin leur a dit de revenir en début d'après-midi et elles ont pris sa recommandation au pied de la lettre : à midi juste, elles entrent dans le service de cardiologie. Arrivée devant la réception, Diane serre le bras de Claire et désigne l'employée du menton. Comprenant que l'angoisse noue la gorge de sa mère et l'empêche de s'exprimer, elle demande le numéro de la chambre de Michel Gadelier. Pendant le trajet en voiture effectué en silence, Diane devait penser comme elle qu'il pouvait y avoir eu des complications pendant la nuit, ou que l'intervention de la veille n'avait pas été suffisante et qu'il fallait la refaire, ou, ou… La réceptionniste consulte son ordinateur :

— Chambre 412.

Cette simple réponse les soulage. En effet, en entrant dans l'hôpital, elles ont lu toutes les deux — mais pas commenté — un panneau indiquant que les visites étaient permises de 9 h à 21 h, sauf pour l'urgence et les soins intensifs où elles sont interrompues entre 12 h et 13 h 30. Puisque l'employée les laisse passer, c'est qu'il est dans une chambre normale, preuve que tout va bien. Elles s'engagent dans le couloir d'un pas plus léger. Dans la chambre 412, Michel est assis dans son lit devant un plateau-repas.

— De la grande visite pour le ressuscité! s'exclame-t-il d'une voix joyeuse.

L'émotion les rend muettes et c'est lui qui continue:

— Vous venez me sortir de prison? Il va falloir attendre la fin de l'après-midi, mais c'est bien pour aujourd'hui.

Diane, que les larmes de bonheur étouffent, s'approche du lit.

— Éloigne le chariot, mon amour, et viens près de moi.

Claire se détourne pudiquement de leurs retrouvailles et se dirige vers la fenêtre. La chambre donne sur un parc avec de grands arbres. Elle aperçoit des employés en blouse d'hôpital qui mangent leur lunch au soleil, assis sur un banc. Derrière elle, sa mère renifle et son père lui parle doucement. Il est sauvé. Ils vont pouvoir la faire, leur croisière sur le Nil.

— Claire, approche-toi!

Elle vient de l'autre côté du lit. Il leur tient la main à toutes les deux et leur rapporte les explications du médecin: les analyses sanguines et l'électrocardiogramme effectués plus tôt ce matin ont donné des résultats normaux et on lui a enlevé le cathéter. À compter de ce moment-là, il faut attendre six heures avant de marcher, ce qui mène à 17 h 30.

— Vous pouvez repartir entre-temps. De toute façon, je suis fatigué et je vais dormir.

Diane refuse, mais insiste pour que sa fille consacre ces quelques heures à se procurer les livres dont elle a besoin. Il est vrai qu'ici Claire serait inutile, et elle devine qu'après cette grande peur, ils ont envie de rester seuls. Elle les embrasse et les quitte sur la promesse d'être là vers 17 h.

Avant de quitter l'hôpital, elle appelle Maurice.

— Excellent! Moi aussi, j'ai une bonne nouvelle. Tu lui diras que les acheteurs sont restés à l'atelier toute la matinée et qu'ils sont décidés. Ils ont rendez-vous avec la banque demain. D'ici une semaine, on devrait en savoir davantage, mais je peux affirmer que ça s'annonce bien.

C'est effectivement une excellente nouvelle. Même si Maurice est capable de se débrouiller seul pendant un certain temps, son père s'inquiéterait de lui laisser cette surcharge de travail, et pour se rétablir correctement, il doit être serein.

Parvenue sur le Plateau, elle cherche une place dans les environs de l'avenue du Mont-Royal où sont les librairies d'occasion. Elle évite soigneusement sa rue, même si les chances de se garer y sont meilleures qu'ailleurs, parce que l'idée même d'y passer lui est insupportable, et finit par dénicher un emplacement pas trop éloigné et gratuit de surcroît.

Dans la première librairie, elle ne trouve rien, dans la deuxième non plus, mais cela ne la surprend pas : c'est sur la dernière qu'elle fonde le plus d'espoir, car ils ont une section entièrement consacrée à la peinture. Ils ne les ont évidemment pas tous, mais au moins les plus importants, et elle s'estime satisfaite. Tout cela a été très rapide, et il lui reste trois heures à tuer. La rue Saint-Denis ne l'attire plus. Rosemont est tout près, elle va retourner à la maison de ses parents et lira en attendant l'heure.

Alors qu'elle est sur le point de s'engager dans la rue transversale où sa voiture est garée, une voix qui ne lui est pas familière l'interpelle. Il lui faut un instant pour reconnaître Maude, la jeune femme rencontrée au souper du notaire. Elles échangent quelques mots, découvrent qu'elles ont toutes les deux le temps de boire un café et vont s'asseoir à la terrasse où Claire n'avait pas eu la force de se rendre seule et qui se trouve être la favorite de Maude. Celle-ci travaille à Montréal, pour une firme qui s'occupe de tourisme, et son dossier concernant Charlevoix n'est que l'un de ceux dont elle a la charge. Claire lui apprend la raison de sa présence à Montréal. La conversation entre les jeunes femmes est facile et ce moment confirme la sympathie ressentie spontanément lors de leur première rencontre. Elles parlent de tout et de rien, admirent de concert la robe d'une passante, émettent un commentaire sur un gars qui remonte la rue son sac de sport à l'épaule : un échange de vieilles copines alors qu'elles se connaissent à peine.

— La prochaine fin de semaine, je retourne à La Malbaie, dit Maude avant qu'elles se séparent. J'ai toujours eu envie de visiter la maison d'Isidore Beaulieu. Je me demandais…

— Bien sûr, viens ! Ça me fera plaisir de te la montrer.

— Dans ce cas, à samedi en début d'après-midi ?

— D'accord, à samedi.

Claire s'installe dans le jardin avec l'étude sur les peintres québécois contemporains de Beaulieu qu'elle vient d'acheter, mais le livre reste fermé sur ses genoux. Les bienfaits de la diversion procurée par la rencontre avec Maude n'ont pas duré, et la vidéo de Marc visionnée pendant la nuit lui revient en flashs obsédants. Elle a placé sa chaise au soleil et demeure les yeux clos à essayer de faire le vide dans sa tête, bercée par le bruit léger et lointain de la circulation. Un chien aboie. Elle reconnaît Chino, le vilain roquet de la première voisine. Il a le même caractère que sa maîtresse, madame Chouinard, qui ne parle pas à sa mère et pas davantage au reste de la rue, se contentant de marmonner des choses que l'on devine peu amènes lorsqu'elle croise quelqu'un. Des mouettes criaillent. La chaleur du soleil lui procure un engourdissement bienvenu jusqu'à ce que la pétarade d'une moto la fasse sursauter. Elle consulte sa montre : elle a dormi et il est presque temps d'aller à l'hôpital. Avant de partir, elle met au four le plat congelé que sa mère a sorti en se levant ; il réchauffera doucement et sera prêt à leur retour. C'est du ragoût de pattes, le mets préféré de son père. Elle doute qu'il soit en état de manger cette nourriture trop riche, mais imagine que sa mère a fait ce choix pour forcer la chance, pour persuader le sort que son mari devait rentrer sain et sauf puisqu'un ragoût l'attendait à la maison.

Comme Diane est également raisonnable, il y a aussi une soupe légère plus appropriée au régime d'un convalescent.

Les formalités de sortie ont été réglées et ils sont fin prêts, n'attendant que 17 h 30 pour partir. Michel a rendez-vous à l'hôpital dans dix jours afin de subir des examens. Si tout va bien, il pourra reprendre petit à petit une activité professionnelle réduite. Dans un premier temps, la consigne est d'observer un strict repos et de surveiller ce qu'il mange. L'alimentation, d'ailleurs, ne changera pas après la convalescence.

— Finis les chips et le ragoût de pattes, lui dit-il avec un air de martyr, il va falloir que je devienne herbivore comme ta mère.

— Tu ne t'en porteras que mieux, rétorque celle-ci d'un ton convaincu.

— Si tu te ligues avec le cardiologue, il ne me reste plus qu'à mourir de faim. C'est quand même dommage de me condamner après m'avoir sauvé.

L'atmosphère est à la légèreté, et le message de Maurice qu'elle lui communique ajoute une bonne nouvelle supplémentaire. À 17 h 30 précises, il veut se lever. Diane le freine.

— Tu dois attendre qu'un préposé vienne t'aider à t'asseoir dans le fauteuil roulant.

— J'en suis capable tout seul.

— Sans doute, mais attendons quand même.

Lorsqu'il arrive, un quart d'heure plus tard, son jovial — *Prêt à vous lever, monsieur Gadelier?* — obtient en réponse un — *Ça fait longtemps* — peu aimable. Diane esquisse un sourire pour l'excuser, mais le préposé a l'habitude des grognons et ne s'en affecte pas. Le passage du lit au fauteuil est loin d'être aussi facile que Michel l'escomptait. L'ouverture à l'aine qui a permis de placer le cathéter n'est refermée que du matin et le mouvement lui arrache une grimace de douleur. Il se retient de crier, mais les deux femmes qui l'entourent voient que c'est au prix d'un gros effort. Il fait une pause sur le bord du lit, et Diane tamponne avec un linge son front couvert de sueur.

— Prêt à passer au fauteuil, monsieur Gadelier?

Le ton du préposé n'a pas changé, mais son patient ne commente plus. Il se contente d'un signe de tête avant de s'agripper à l'homme qui le soutient. Lorsqu'il est assis, il pousse un soupir de soulagement.

— Je vous emmène à l'entrée. Vous avez une auto?

Claire dit qu'elle va la chercher et il lui précise l'endroit où se rendre. En traversant le stationnement, elle pense que sans aide elles ne parviendront jamais à le sortir du véhicule pour le conduire dans la maison. Elle téléphone à Maurice, qui lui promet d'être chez eux dans une demi-heure. C'est à peu près le temps qu'il leur faut aussi. Quand elle arrive avec la voiture devant l'hôpital, ils sont là, et le préposé aide son père à s'installer sur le siège avant qu'elle a préalablement reculé au maximum. C'est déjà moins difficile que dans la chambre. Elle suppose que, sachant maintenant à quoi s'attendre, son père s'y prend mieux pour bouger. Diane remercie le préposé avec une exagération destinée à compenser l'attitude de son mari et ils partent. Avant que ses parents ne s'inquiètent au sujet de l'arrivée, elle leur apprend que Maurice vient à la rescousse. Le soulagement est palpable.

La chambre de ses parents est à l'étage, mais dans l'immédiat il est incapable de monter l'escalier. La solution est de l'installer dans la sienne qui est de plain-pied.

— Et toi?

— Je vais prendre la deuxième du haut.

— Mais c'est pratiquement un débarras.

— Il y a un lit, c'est tout ce qui compte.

Il est acquis qu'elle n'ira pas à son domicile. Ils ont dû en parler cet après-midi. Tant mieux. L'important est qu'ils n'abordent pas le sujet avec elle. À leur arrivée, Maurice est là. Il ouvre la portière de son ami et plaisante pour cacher son émotion.

— Voyez-vous ce flanc mou! Un vrai lâcheux! Qu'est-ce qu'il n'inventerait pas pour éviter de travailler!

Michel sourit, heureux de le retrouver.

— Aide-moi au lieu de dire des bêtises.

Il tourne lentement son corps afin d'aligner les jambes au-dessus du sol et s'accroche à son ami pour se lever. Ensuite, c'est plus commode. Appuyé sur son bras, il franchit à pas prudents la distance qui le sépare de la maison. Il reste l'épreuve des marches du perron, un dernier obstacle qui le met en sueur.

— Où veux-tu aller? lui demande Maurice.

— Au lit. Cette grande randonnée m'a épuisé.

Il est émouvant avec ses efforts pour les dérider malgré sa souffrance. Claire voudrait le protéger et le consoler comme il l'a si souvent fait pour elle. *Ne t'inquiète pas, papa, demain ça ira mieux et dans quelques jours tu gambaderas comme Elfie.*

Assise avec sa mère devant une émission de télé qui ne les intéresse ni l'une ni l'autre, Claire décide de repartir dès le lendemain si, comme elle en a l'impression, ils n'ont plus besoin d'elle. Il se passera quelques jours avant que son père puisse monter l'escalier, et il conservera sa chambre en attendant. L'aspect de celle qui lui échoit n'encourage pas à rester et c'est aussi bien. Quand elles ont préparé le lit, sa mère lui a proposé de transférer une partie du bric-à-brac au garage, mais elle a refusé.

— Je ne l'occuperai pas assez longtemps pour justifier cet effort.

— Es-tu certaine de vouloir repartir?

— Oui. J'ai eu une subvention pour réaliser ce documentaire, il faut que je le fasse.

— Mais là-bas, tu seras bien seule.

— Pas plus qu'à Montréal.

— Nous sommes là. Tu peux rester avec nous, ou venir facilement depuis chez toi.

— Je ne suis pas prête à rentrer chez moi, et je ne crois pas qu'il serait très sain de reprendre ma place de fifille à son papa et à sa maman.

— Mais pour un petit temps…

— Non, je vais repartir. On se téléphonera tous les soirs.

— Si tu penses que c'est mieux…

— J'en suis sûre.

La matinée du lendemain confirme que sa présence est inutile, car son père marche déjà sans aide, quoique avec précaution. Il s'installe un moment dans le jardin avant le repas et elle s'assoit avec lui. Ils ont la même conversation qu'avec sa mère la veille. Devant sa détermination, lui non plus n'insiste pas pour qu'elle reste.

— Tu téléphones dès ton arrivée, n'est-ce pas ?

— Promis. Et toi, tu manges des légumes verts ?

— Promis.

Elle émet un commentaire au sujet de Chino qui aboie à perdre haleine, mais il ne se laisse pas détourner de son souci.

— Si ça ne va pas, tu reviens tout de suite ?

— Promis.

Sa mère la sauve en annonçant que c'est prêt.

Pendant qu'il fait la sieste, elle la conduit à la gare des autocars et Claire insiste pour qu'elle la dépose et s'en aille aussitôt.

— Papa ne doit pas rester seul.

— Tu as raison, j'y vais.

Elles s'embrassent, un peu plus longuement que d'habitude.

— À ce soir au téléphone.

L'autocar ne part que dans une demi-heure, mais Claire est soulagée de ne pas la passer avec sa mère à ne savoir que dire.

::

Le trajet est interminable. Claire n'aime pas ce moyen de transport. Faute de pouvoir lire sous peine d'avoir des nausées, elle va subir quatre heures à ne rien faire, inactivité qui favorise l'introspection bien plus qu'elle ne le souhaiterait. Elle essaie de canaliser ses pensées, mais celles-ci lui échappent pour toujours revenir au même point. Les deux derniers jours, elle a tourné et retourné le cas de son père, et chercherait en vain du nouveau à explorer : elle a imaginé à loisir tout ce qui aurait pu arriver de plus terrible, jusqu'aux obsèques, celles-ci comprises. Elle a également agencé au mieux sa vie future d'artiste peintre retraité dans cette serre-atelier qui va changer de manière radicale les dimensions et l'aspect du jardin. Le terrain, guère plus large que la maison, est tout en longueur ; si, comme elle a cru le comprendre, la nouvelle construction doit avoir la taille de la façade arrière, il faudra la traverser pour accéder au jardin. *Ce sera tellement beau*, a-t-il dit un jour, *qu'on n'aura même pas envie d'aller plus loin.* Jean-Louis a prédit qu'il s'ennuierait. *Il a l'habitude de partir travailler à l'extérieur et de rencontrer des gens. Là, il va être seul toute la journée. En plus, il a peut-être idéalisé ce qui autrefois n'était qu'un passe-temps. Une activité principale, c'est autre chose.* Elle n'avait pas prêté grande attention à ce pronostic, sans doute parce que l'échéance lui paraissait très éloignée. Son père, si actif, ne correspondait pas à son image du retraité. Mais maintenant qu'il y touche, elle se demande s'il va effectivement s'ennuyer. La maladie a tout changé, suppose-t-elle. Ces derniers temps, il était si fatigué que se rendre au travail était devenu une corvée. Voilà qui devrait l'aider à s'adapter à une vie différente. Jean-Louis analyse les situations et en tire des conclusions qu'il présente de manière convaincante comme logiques et irréfutables. Ainsi, il a décrété, dès le début de leur existence commune, qu'elle préférait lui laisser prendre les décisions importantes. Elle n'a pas protesté. Pourquoi ? Parce que c'était plus facile que de lui résister ? Ou parce qu'elle n'avait pas assez confiance en elle pour vouloir imposer une solution différente de

celle de Jean-Louis ? Quand lui est-il venu, ce manque de confiance ?
Elle n'était pas le type d'adolescente qui aurait souhaité se cacher
dans un trou par peur des autres et de la vie, au contraire. Avec
Florence, elles étaient toujours prêtes à se lancer dans quelque
activité nouvelle, et si cette dernière ne marchait pas, elles passaient à autre chose sans regrets excessifs. Les idées venaient
indifféremment des deux côtés. Quel que soit le plan, l'autre y
adhérait à fond. On ne peut pas dire qu'elles faisaient preuve
d'un grand esprit critique, mais elles étaient très jeunes. Par la
suite, quand c'est avec Jean-Louis qu'elle a formé — un couple ?
une équipe ? une association symbiotique ? — , ce sont ses désirs
à lui qui ont prévalu. Pas de symbiose, donc, mais une relation de
dépendance et de sujétion qu'elle découvre avec le recul, mais n'a
pourtant jamais vécue ainsi. Les desseins de Jean-Louis étaient
tous plus généreux les uns que les autres. Qu'aurait-elle pu leur
opposer ? On ne répond pas : *Je n'en ai pas envie* à quelqu'un qui
veut vous entraîner dans le sauvetage de gens mourant de faim.
Elle s'est moins amusée ces années-là que pendant le secondaire
et le cégep, mais la vie n'est sans doute pas faite pour s'amuser.
C'est égoïste et immature de penser toujours à son bien-être et à
son plaisir personnels. Néanmoins, elle ne comptait pas pour
rien dans leur relation : Jean-Louis avait besoin d'elle pour tester
ses théories et ses projets. C'est en les lui exposant qu'il en voyait
les faiblesses, ce qui lui permettait de les adapter, de les ajuster, de
les rendre réalisables. Elle va lui manquer, ce n'est pas possible
autrement. Elle est certaine qu'elle lui manque déjà. S'il revient
repentant, que lui dira-t-elle ? *Oublions ça, c'est une erreur de
parcours, ça peut arriver à tout le monde* ? Ou alors *Tu m'as trompée, tu m'as trahie, je ne veux plus rien savoir de toi* ? C'est sûr
qu'elle ne le repousserait pas.

L'autocar traverse à peine Trois-Rivières, ce trajet est interminable. Vivement qu'elle retrouve Elfie et se réinstalle dans
cette maison si tranquille, si charmante, si plaisamment située en

bordure du fleuve. Dès son arrivée, elle ira faire une promenade avec la chienne. Elle ira jusqu'à l'éboulement, se retournera et verra la maison du peintre. Est-ce qu'un jour Adeline Monié lui apparaîtra de nouveau, comme cela s'est déjà produit une fois? L'évocation de cette jeune femme la trouble et l'émeut. Claire voudrait découvrir qu'Adeline a finalement réussi à avoir un enfant, mais sait bien que c'est impossible : la tristesse de son visage, que son mari a peinte toujours plus intense de toile en toile, prouve qu'il n'y a pas eu une fin heureuse. Et le changement de lieu, qui lui avait échappé au début, laisse supposer qu'Adeline n'a pas pu continuer de vivre avec cet homme qui l'aimait si fort. Pourquoi? Devait-elle être assistée pour des raisons médicales? Les fausses couches avaient-elles altéré sa santé?

Quand l'autocar franchit le pont de Québec, Claire se rend compte qu'elle était tellement prise par ses pensées qu'elle n'a été consciente ni de la route ni du temps qui passait. À l'occasion de sa première collaboration avec Marcel Lajoie, elle a tenté d'expliquer à Jean-Louis qu'elle s'immergeait si totalement dans son sujet que pendant quelques heures elle avait l'impression d'être une autre et vivait dans un univers parallèle. Il a dit ressentir la même chose lorsqu'il était concentré sur un projet. Mais cela n'a rien à voir. Dans ses projets, Jean-Louis peut prétendre tout maîtriser, alors que dans les documentaires, qui sont des œuvres de création, le matériau est fait d'êtres humains, imprévisibles et différents du réalisateur, qui doit les comprendre et les aider à se révéler. C'est elle qui décidera de montrer certains aspects de la vie de Beaulieu ou de sa personnalité de préférence à d'autres, ce qui orientera le propos, mais elle n'aboutirait à rien en occultant son altérité. Jean-Louis ne l'a jamais tout à fait saisi ou n'a pas voulu faire l'effort nécessaire : cela ne devait pas être assez rationnel à ses yeux. Cette idée de s'approprier avec une telle intensité la vie des autres pour la quitter ensuite sans difficulté afin de continuer sa propre existence lui paraissait — il ne l'a jamais dit en ces termes, mais elle l'a pressenti — proche de la pathologie. Il a commencé de s'éloigner à ce moment-là, elle s'en rend compte maintenant. À moins que ce ne soit elle ? Le temps consacré à préparer les repérages ou le tournage du lendemain, elle ne l'avait plus pour l'accompagner aux réunions et s'impliquer dans ses *trips* humanitaires. Ils ne se retrouvaient plus dans ses projets à lui, dans lesquels jusque-là elle avait toujours, bon gré mal gré, accepté de le suivre. Est-ce à dire qu'ils n'avaient eu que cela en commun ? Non ! L'amour qu'ils ressentent l'un pour l'autre est réel. Dans sa lettre, il parle de prendre du recul, de réfléchir. Il ne dit pas qu'il ne l'aime plus, qu'il ne veut plus vivre avec elle. Mais à cette lettre, dont elle pouvait choisir de garder en mémoire les seuls éléments qui ne tuaient pas l'espoir, se surimposent les images de Marc, le désir qu'elles proclament et son accomplissement.

La route tourne, monte et descend, étroite, escarpée et dangereuse. Claire pense à sa mère qui l'a parcourue il y a trois jours et l'imagine crispée sur le volant, terrorisée, aveugle à tout ce qui fait la réputation de la région, à ces montagnes bleutées et à ces échappées sur le fleuve qu'elle regarde avec tant de plaisir. Ils auraient pu avoir un accident. Il y en a souvent sur cette route. Ils auraient pu se tuer parce qu'ils sont partis à son secours sans se demander si c'était raisonnable, en refusant de considérer qu'ils n'étaient pas en état de le faire. Elle ne doit pas oublier à quel point leur amour pour elle les rend vulnérables. Son appel quotidien doit leur prouver qu'elle va bien.

Ils arrivent dans un village, un passager descend. Ce sera bientôt son tour.

Elfie se jette sur elle avec un enthousiasme délirant. Les pattes de devant sur ses épaules, la chienne lui lèche le visage et Claire doit attendre qu'elle soit calmée pour donner à madame Bolduc des nouvelles de son père. Celle-ci se réjouit que l'affaire ait bien tourné et lui dit à quel point Elfie est une bonne bête. Claire la remercie du grand service qu'elle lui a rendu. La commerçante affirme que ce n'était rien et refuse d'être dédommagée.

— D'ailleurs, ce n'est pas une mauvaise chose d'avoir un chien dans un dépanneur, ajoute-t-elle d'une voix un peu trop haute.

Le commentaire, qui n'est pas destiné à Claire, ne provoque aucune réaction derrière les cartons, pas même le grommellement habituel.

— Je finirai par y arriver, chuchote-t-elle.

Claire l'encourage d'un hochement de tête et d'un sourire avant d'arpenter les allées avec un chariot pour regarnir son frigo et son garde-manger.

Elle ne s'attendait pas à avoir l'impression, en pénétrant dans la maison, de rentrer chez elle, ou du moins dans un lieu où elle a envie d'être. Car c'est l'endroit où tout lui est arrivé, y compris les prémices de la maladie de son père. Bien que ce soit ici qu'elle ait reçu la lettre de Jean-Louis, parlé à Marc, touché le fond, un fond encore tout proche, elle s'y sent mieux que chez ses parents, où elle est devenue une invitée. Quant à son domicile de Montréal, elle ne peut même pas y penser. Cette maison au bord de l'eau est le seul lieu lui permettant de vivre sans se heurter aux traces de Jean-Louis.

Dès que les provisions sont rangées, le bol d'eau et le plat de nourriture remplis, elle s'en va retrouver la berge du fleuve. Trois jours seulement ont passé, et pourtant, avec ce qui est arrivé, elle a l'impression que sa dernière promenade remonte à très loin. Elle lance un morceau de bois flotté à Elfie, qui le lui rapporte inlassablement. Ici et là, la chienne renifle de minuscules terriers, se met en arrêt devant un insecte qui l'a surprise, aboie son indignation à une corneille qui l'invective. Le grand héron pêche son repas du soir. Un voilier de bernaches criaille. Adeline n'apparaît pas. Demain, Claire ira la voir chez elle.

Elle met de l'eau à chauffer pour préparer des pâtes. En attendant qu'elles cuisent, elle ouvre une bouteille de vin blanc. À Québec, à côté de la librairie, il y avait une SAQ où, malgré son désarroi, elle s'est arrêtée pour se réapprovisionner, ce dont elle se réjouit maintenant. Elle va boire un verre sur la terrasse. Quand il fera trop froid pour manger dehors, ce petit plaisir lui manquera. La sonnerie du téléphone brise sa quiétude. Son cœur rate un battement : si peu de gens ont son numéro.

Jean-Louis a-t-il accès à un téléphone en Afrique ? Probablement pas dans le village reculé où le dispensaire doit être implanté. Comment sont-ils installés là-bas ? Dans la même case ? Avaient-ils annoncé que c'était un couple qui arrivait ou bien font-ils semblant d'être seulement des collègues et ont-ils chacun un domicile ? Si quelqu'un décidait d'aller les rejoindre au Mali, pourraient-ils le loger ? Ou bien le visiteur devrait-il partager LEUR maison ? Car ils seraient obligés de l'accueillir : on ne claque pas la porte au nez — à supposer qu'il y ait une porte — à une personne qui a fait tout ce chemin.

Elle décroche. Sa mère.

— Bonsoir, maman. J'allais t'appeler, je te l'avais promis.

— Ton père est fatigué. Il va se coucher de bonne heure et voulait savoir avant si tu étais arrivée à bon port.

— Tu peux le rassurer, je n'ai eu aucun problème. Et lui, comment va-t-il ?

— Aussi bien que possible. Je pense qu'il sera vite rétabli.

— Dis-lui que j'ai fait une promenade avec Elfie en arrivant pour me dégourdir les jambes et que demain j'appellerai plus tôt.

Le jour qui baisse lui donne une manière d'angoisse. Son contact avec l'extérieur a eu lieu, la voilà seule jusqu'à demain soir. Elle aussi va se coucher de bonne heure : les émotions l'ont fatiguée. Munie d'un roman, elle se rend dans la chambre. Au moment où elle passe devant le téléphone, sa main se tend instinctivement vers la voix de Jean-Louis. Mais à quoi bon ? La solitude, après, n'en est que plus grande. La main retombe. Son seul appel du soir sera désormais pour sa mère.

::

Au matin, elle renonce à se rendre dans la maison voisine, car elle ressent avec tant de force la douleur qui a été vécue en ces lieux qu'elle craint de s'y exposer aussi vite après les bouleversements des derniers jours. Cependant, il faut se remettre au travail. Rendre visite au maire serait une bonne solution.

Monsieur Létourneau est content de la voir. Elle ne tarde pas à se rendre compte que les nouvelles qui transitent par le dépanneur se répandent aussitôt : le maire est déjà informé de l'accident cardiaque de son père. Il s'enquiert de son état avec sollicitude, puis ils abordent le sujet qui les intéresse tous les deux : Isidore Beaulieu. Claire lui mentionne la découverte qui l'a tellement surprise : la femme du peintre a vécu plus longtemps qu'elle ne le croyait.

— Comment l'avez-vous appris ?

— En observant les tableaux de près. J'ai également vu qu'à la fin la maison devant laquelle elle était représentée n'était plus la même. Je me demande si j'avais imaginé qu'elle était morte jeune ou si je l'ai lu quelque part.

— Vous avez dû le lire. Beaulieu avait laissé entendre qu'elle était morte lors d'un voyage à l'étranger, ce que tout le monde croyait et croit encore au village. Je n'ai découvert la vérité qu'en ouvrant le testament. Il avait pris soin de le rédiger avec un inconnu afin que personne parmi ceux qu'il côtoyait ne soit au courant avant sa propre mort.

— Donc, vous ne pouvez rien dire ?

— Le temps a passé et le dernier Beaulieu ne voit pas d'inconvénient à ce que j'en parle.

— Elle est morte avant lui ?

— Non, justement. Et il a fallu prendre le relais.

— Pour payer la *Résidence des Cèdres* ?

— Je constate que vous savez tout.

— Je viens à l'instant d'établir le lien avec les reçus que j'ai trouvés. Que soigne-t-on dans cette résidence ?

— Vous vous en doutez un peu, je suppose ?

— Les maladies mentales ?

— En effet, mais pas seulement. Une partie de l'établissement est réservée aux personnes âgées non autonomes et l'autre aux malades.

— Croyez-vous qu'ils accepteraient de m'aider ?

— Il vous faudrait une introduction. Maude pourrait s'en charger.

— Vraiment ? Voilà qui tombe bien : nous nous sommes rencontrées par hasard à Montréal et avons convenu qu'elle passera samedi pour visiter la maison de Beaulieu.

— Alors, vous avez sympathisé ? C'est bien. Je suis également fort content que vous ayez deviné les secrets de notre peintre. J'aurais pu vous les apprendre, mais j'ai pensé que ce serait mieux pour vous de les découvrir seule. Avez-vous aussi compris pourquoi elle a sombré dans la démence ?

— À cause de l'impossibilité de mener un enfant à terme ?

— C'est bien cela. Vous avez connaissance de tout ce qui est important. Désormais, je ne vous cacherai plus rien. Y a-t-il quelque chose que vous voulez savoir ?

— Est-ce que sa maladie est considérée comme un secret compromettant que je ne dois pas divulguer sans autorisation ?

— Non. La famille le sait depuis longtemps, et pour eux, cela fait partie de l'histoire.

— Tant mieux. Je pourrais difficilement réaliser un documentaire qui ait du sens en occultant cela. Je vais continuer de dépouiller les papiers ; ils sont dans un désordre à peine imaginable. J'en profite pour les classer de manière qu'ils soient éventuellement utilisables pour quelqu'un d'autre. Quand des questions surgiront, je viendrai vous les poser.

— Si je connais les réponses, je vous les donnerai volontiers. Je me félicite que ce soit vous, Claire, qui ayez eu l'idée de ce documentaire : on ne pouvait mieux tomber.

::

Elle se donne jusqu'au lendemain avant de se remettre au travail et consacre l'après-midi à ratisser des feuilles. Après tout le temps passé dans la salle d'attente et l'autocar la veille, elle éprouve le besoin d'être dehors et de bouger. Elfie prend tant de plaisir à éparpiller les tas de feuilles que cette fois encore elle le lui permet.

Ses journées dans la maison voisine à trier les papiers se déroulent bien. Elle s'est habituée à l'atmosphère : ce qu'elle ressent maintenant est davantage une tristesse diffuse que l'oppression qui la conduisait au bord du malaise. Pour le moment, ses trouvailles sont de peu d'intérêt, car les documents concernent les dernières années de Beaulieu pendant lesquelles il a été parfaitement casanier. Elle est un peu déçue de ne pas être encore tombée sur des pièces relatives à son séjour à Paris, où il a rencontré d'autres

peintres, mais ne se décourage pas : il ne jetait rien, il aura gardé
ces choses-là aussi.

L'appel quotidien à sa mère est une pause agréable parce que
les nouvelles sont bonnes : son père va de mieux en mieux. Ils
envisagent l'achat d'un chien qui l'obligera à faire de l'exercice.
Le médecin a insisté sur ce point : la sédentarité est son pire
ennemi… avec le ragoût de pattes.

Le moment critique a lieu le soir, à l'heure du coucher, quand
elle se raidit en passant devant le téléphone du couloir et qu'elle
se force à avancer, puis qu'elle prend la photo les représentant
tous les deux à la Saint-Jean d'il y a deux ans. Il y a la même sur
sa table de nuit à Montréal. Ce jour-là, avec Florence et Marc, ils
étaient allés au parc Maisonneuve, où ils avaient chanté avec Paul
Piché, Yann Perreau, Marie-Mai et tous les autres dont les noms
maintenant lui échappent. Heureux. C'est visible sur ce cliché
que Florence a fait à leur arrivée au parc, alors que le soleil était
encore haut. Elle aussi a photographié le couple ami. Et puis il y
en a eu un de tous les quatre, pris par un fêtard à qui ils ont rendu
le même service en l'immortalisant avec toute sa famille. Il était
plus sympathique que doué, car la photo n'est jamais apparue. Et,
bien sûr, il y a un film dans les archives de Marc, qui filme tout.
A-t-il décidé de ne pas remonter jusque-là ou bien n'a-t-il rien
découvert avant le réveillon ? Ils avaient apporté un pique-nique
et de la bière. Une Saint-Jean réussie. À la fin, ils étaient rentrés à
pied, deux bonnes heures de marche, et ils chantaient encore. Sur
la photo, elle scrute les visages à la recherche d'un signe qui ne
s'y trouve pas, puis la repose à sa place et se couche avec un livre.
Elfie vient s'allonger sur le tapis à côté du lit. Elle ne la chasse pas :
c'était Jean-Louis qui ne la voulait pas dans la chambre.

Elle ne parvient pas à accepter que Jean-Louis soit parti sans explications. Elle doit savoir pourquoi il l'a quittée, pourquoi il a renoncé à leur vie, pourquoi Florence.

En attendant d'obtenir son adresse, ce qui permettra de le lui demander, elle s'engourdit dans la routine. Elle travaille toute la journée. Le dépouillement ne devrait plus durer très longtemps et elle pourra bientôt passer à une autre étape. Rencontrer des gens sera plus dynamique, plus agréable aussi, et cela lui donnera davantage l'impression d'avancer. Même si elle sait que le travail préparatoire qu'elle effectue est indispensable et que ce serait une erreur de ne pas y consacrer tous ses soins, elle a parfois le sentiment de faire du surplace. Comme dans sa vie.

À midi, elle s'arrête pour aller grignoter chez elle en lisant le journal. *L'industrie forestière canadienne traverse une période difficile. Le secteur qui a grandement contribué à bâtir le Québec et le Canada est aujourd'hui à genoux.* La région de Charlevoix ne doit pas être épargnée. *Les dernières données pour le marché québécois nous font désormais douter du caractère distinct de l'assiette québécoise. Il faut différencier les actes gastronomiques et le comportement alimentaire. Environ 80 % des Québécois sont citadins et leurs habitudes alimentaires ressemblent à celles des autres citadins de la planète : ils manquent de temps et achètent du prêt-à-manger.* Claire regarde son assiette dans laquelle elle a versé une sauce tomate toute prête sur un reste de pâtes : elle ignore si c'est rassurant, mais elle fait partie de la majorité. *L'Arctique fond toujours. Si la tendance se maintient, la banquise finira par disparaître avec sa faune caractéristique (ours blancs, narvals, phoques, etc.). Il y aura d'autres impacts géopolitiques et socioéconomiques, notamment en raison de l'ouverture du passage du Nord-Ouest et de la recherche d'hydrocarbures qui sera facilitée.* Voilà qui va lui remonter le moral.

Le temps se rafraîchit, un vêtement chaud s'impose pour la promenade. Il n'est plus possible de manger dehors. Pour se reposer d'avoir classé des papiers toute la journée, Claire regarderait volontiers la télé, mais le programme est rarement passionnant. Ce soir-là, à Radio-Canada, Anne-Marie Dussault reçoit les candidats à la direction d'une quelconque association politique. De l'ennui à l'état pur. TVA propose un film, une histoire d'agent double. Elle n'aime ni les films ni les romans d'espionnage : l'intrigue est trop compliquée et demande des efforts de compréhension démesurés par rapport à l'intérêt qu'ils présentent. Télé-Québec, dans *Une pilule, une petite granule,* explique les dangers des produits amaigrissants. Pas de chance, maigrir n'a jamais été son problème. Alors, comme souvent, elle va se coucher et passe la soirée à butiner l'anthologie de poésies, le livre dans une main, l'autre main dans la fourrure d'Elfie, qui n'a pas tardé à abuser du droit acquis : elle trône désormais sur le lit, où il y a assurément de la place pour deux. Il sera bien temps de reprendre de bonnes habitudes si… Si quoi ?

::

Comme promis, Maude arrive le samedi en début d'après-midi. Lorsque Claire la voit descendre de voiture vêtue d'un jean fatigué, d'un tee-shirt et de chaussures de sport, elle est soulagée : pour marcher sur les galets, ce sera plus facile qu'avec le tailleur strict et les hauts talons qu'elle portait les deux fois précédentes. Elfie, qui ne sera jamais une chienne de garde, lui fait la fête.

— Je trouverais plaisant d'avoir un chien moi aussi, dit Maude en la caressant, mais la perspective de le conduire au parc tous les matins à l'aube me décourage. En fait, j'en avais un, mais c'était mon *chum* qui le sortait, et c'est lui qui l'a gardé.

— La séparation est récente ?

— Trois mois.

— Et le chien te manque ?

Maude éclate de rire.

— On va le dire comme ça.

La jeune femme s'est arrêtée en chemin pour manger, mais accepte volontiers un café.

— Tu m'emmènes voir la maison ? J'en ai envie depuis longtemps, mais je ne voulais pas y aller seule. Tu comprends que monsieur Létourneau ne pouvait pas m'y accompagner, et avec le docteur, il aurait fallu supporter sa femme qui aurait suivi parce que, entre autres défauts, elle est jalouse. Elle m'aurait gâché le plaisir.

— Est-ce que tu es pressée ?

— Pas du tout. J'ai tout l'après-midi.

— Dans ce cas, on va faire la visite dans les règles de l'art. On abordera la maison par le côté du fleuve.

Précédées de la chienne, elles descendent l'escalier de pierre. Elfie, au comble de la surexcitation, ne cesse de courir et d'aboyer.

— Avec ce vacarme, on peut oublier les oiseaux, déplore Claire en conduisant son invitée jusqu'à l'éboulement.

Elle lui désigne le renfoncement abrité du vent.

— C'est ici qu'Isidore Beaulieu installait son chevalet. Ne te retourne pas tout de suite, je veux te montrer quelque chose.

Elle prend sa caméra et cadre la maison.

— Tu peux pivoter, mais garde les yeux fermés.

Elle lui met l'appareil dans les mains.

— Maintenant, regarde dans le viseur.

Maude découvre la maison.

— C'est exactement comme sur les peintures ! s'exclame-t-elle. Et il y a même une chaise sur la galerie ! Il manque seulement la jeune femme triste. Il suffirait que les arbres soient bleus et on s'y croirait.

Elle se tourne vers Claire qui sourit.

— La chaise, tu l'as placée là pour moi ?

— J'ai pensé qu'un peu de mise en scène ne pouvait pas nuire.

— Merci, j'apprécie.

— Allons à la maison en suivant le chemin qu'il prenait après avoir peint.

Quand elles arrivent en haut de la falaise, Elfie a disparu, mais ses aboiements résonnent dans les fourrés.

— Il y a un terrier de marmottes. Elle ne désespère pas d'en attraper une.

Claire déverrouille la porte d'entrée, allume l'interrupteur et s'efface pour laisser sa compagne franchir le seuil. Elle se souvient de son saisissement lorsqu'elle-même a découvert le corridor tapissé de ces toiles qui lui paraissaient toutes semblables et elle ne veut pas interférer par sa présence sur sa première impression. La réaction de Maude n'est pas différente de la sienne. Elle s'exclame que ce n'est pas croyable une telle obsession.

— Et toutes pareilles, insiste-t-elle.

Claire la conduit devant la première.

— Regarde-les une à une, dans l'ordre, et viens ensuite me rejoindre dans le bureau.

Lorsque Maude entre dans la pièce, des larmes brillent dans ses yeux.

— Sais-tu ce qui s'est passé ?

— Oui. Allons nous asseoir dehors, je vais te raconter.

Elles retournent à la maison voisine par la route et s'installent sur la terrasse.

— Monsieur Létourneau m'a dit que tu pourrais me fournir une recommandation pour être reçue à la *Résidence des Cèdres*.

— Je peux même directement te présenter à la directrice demain après-midi si tu le souhaites. Ma grand-mère y réside depuis quelques années. Elle ne voulait pas rester seule à la mort de mon grand-père. Jusqu'au printemps, je lui rendais visite à peu près une fois par mois, mais elle touche à la fin de sa vie, c'est une question de semaines, voire de jours, alors je viens tous les dimanches. J'en profite pour passer chez mes parents, ce qui fait d'une pierre deux coups.

— Ils habitent à La Malbaie?

— Oui, c'est ma ville natale. C'est pourquoi mon employeur m'a confié le dossier de la région. Comme je viens également pour mon travail, je vois souvent ma famille. Enfin, depuis trois mois… Avant, c'était moins fréquent.

Claire va chercher une bouteille de vin et les deux jolis verres à pied en cristal qui devaient donner un air de fête à la visite de Jean-Louis. Maude les admire et s'étonne qu'une maison de location possède des objets aussi raffinés. Claire lui explique qu'ils sont à elle et pourquoi elle les a apportés.

— Ton *chum* vient donc la semaine prochaine.

— Non.

Claire vide nerveusement la moitié de son verre.

— Si tu as envie d'en parler…

— Je ne peux pas, ça m'étouffe.

Sans insister, Maude enchaîne avec le récit de sa sortie de la veille au théâtre. Le jeu des comédiens était outré et le texte de la pièce ridicule. Elle fait une imitation drolatique du personnage principal et Claire éclate de rire. L'atmosphère est redevenue légère.

Maude consulte sa montre.

— Mes parents m'attendent pour souper, je dois y aller.

— Indique-moi comment me rendre à la résidence et à quelle heure je dois t'y retrouver demain.

— C'est simple: tu continues jusqu'à La Malbaie… Mais j'y pense! Tu pourrais venir avec moi maintenant, il y a une chambre d'amis au sous-sol.

— Tes parents attendent une personne pour souper, pas deux.

— Ça leur rappellera mon adolescence. Je leur ramenais toujours quelqu'un. Sans prendre la peine de les avertir, évidemment. Mais là, si tu acceptes, je vais les appeler.

Claire imagine la solitude qui serait la sienne après le départ de Maude, plus pesante encore qu'à l'accoutumée à cause des quelques heures passées avec elle, et répond qu'elle est d'accord. Maude entre téléphoner et revient avec un visage radieux :

— Julien et Samuel viennent d'arriver, je ne savais pas qu'ils seraient là.

— Tu ne crois pas que ça va faire trop de monde ?

— Je t'assure que non.

— Coralie Gassier n'est pas avec eux ?

Maude la regarde avec surprise.

— Il y a plus d'un an qu'ils ne sont plus ensemble.

— Je l'ignorais. Nous ne fréquentons pas le même milieu et nous nous croisons rarement.

— Elle l'a quitté pour un comédien avec qui elle jouait à ce moment-là. Qu'elle a d'ailleurs laissé tomber à son tour pas longtemps après parce qu'elle s'est vite rendu compte que ce n'était qu'une passade. Elle aurait bien aimé revenir avec Julien, mais il a refusé. La rupture avait été rude et il ne voulait pas courir le risque que ça se reproduise.

— Et pour Samuel, comment ils font ?

— En théorie, c'est une garde partagée, mais ils s'entendent assez pour accepter de se dépanner. Par exemple, en ce moment, avec les reportages de Julien en région, elle s'en occupe davantage. Le mois prochain, elle va commencer de jouer dans une pièce pour plusieurs semaines et elle ne sera pas là le soir. C'est alors Julien qui prendra Samuel, mais elle s'arrangera pour passer un peu de temps avec lui tous les jours. Tu verras, c'est un petit bonhomme épanoui.

::

Madame Bolduc, décidément fort serviable, accepte une nouvelle fois de garder Elfie. Les deux jeunes femmes partiront ensemble dans la voiture de Maude, qui ramènera Claire avant de rentrer à Montréal, mais jusqu'au dépanneur, chacune y va dans son propre véhicule parce que Claire ne veut pas que la chienne sème des poils sur les sièges impeccables de Maude.

À leur arrivée, les Dumoulin sont dans le jardin, Julien et sa mère assis devant un verre et le grand-père en train de pousser la balançoire de son petit-fils qui crie de plaisir. Lorsque Samuel découvre Maude, il exige de descendre tout de suite. Il se précipite dans les bras de sa tante, qu'il serre de toutes ses forces et embrasse avec enthousiasme.

— Doucement, tu vas m'étouffer, proteste-t-elle.

Comme elle est accaparée par son neveu, c'est Julien qui présente Claire à ses parents.

— Maude n'a pas dit ton nom quand elle a annoncé à maman qu'elle amenait une amie avec qui j'avais étudié. Je n'ai pas pensé un instant que ça pouvait être toi. J'ignorais que vous vous connaissiez.

— On s'est rencontrées chez le maire Létourneau.

— Ah? De plus en plus intrigant.

— Claire prépare un documentaire sur Isidore Beaulieu, lance Maude par-dessus son épaule.

— Il va falloir que tu me racontes ça. Mais en attendant, les filles, que voulez-vous boire?

Quand elles sont installées devant une bière, le père de Maude, qui se souvient d'Isidore Beaulieu, demande à Claire en quoi consiste son projet. Le voyant intéressé, elle espère qu'il a des choses à lui apprendre.

Il la détrompe :

— Je ne l'ai jamais aperçu que de loin. Il ne fréquentait personne. Mais ma mère l'a connu personnellement.

— Croyez-vous qu'elle aurait envie de m'en parler?

— Envie certainement, mais la force…

— Je vais lui en dire un mot demain, intervient Maude, je verrai comment elle réagit.

Madame Dumoulin s'enquiert de la vie de Claire dans sa maison solitaire.

— Vous ne vous ennuyez pas ?

— Je ne suis pas seule, j'ai ma chienne qui me tient compagnie et m'occupe beaucoup.

En entendant le mot chienne, Samuel, qui avait fait le timide et à peine accepté de la saluer, s'intéresse soudainement à l'amie de Maude.

— Elle s'appelle comment, ta chienne ?

— Elfie.

— Elle est comment ?

— Elle est grande à peu près… Voyons, mets-toi debout.

Il saute des genoux de Maude pour venir auprès d'elle. Elle touche son coude.

— Jusque-là.

— Wouah ! Elle est grande.

— Oui, mais elle est douce.

— Elle est où maintenant ?

— Chez une gentille dame qui lui donne des biscuits au chocolat.

— Pourquoi tu l'as pas emmenée ?

— Ça aurait fait trop de monde chez tes grands-parents.

— Papa, on pourrait aller la voir ?

— C'est à Claire qu'il faut le demander. On ne peut pas aller chez quelqu'un comme ça, sans être invités.

— Tu nous invites ?

— Voilà qui est direct, s'amuse le grand-père.

— Bien sûr, répond Claire. Quand vous voudrez.

— Tu vois, papa, elle veut. On y va quand ?

— On verra.

Comme il n'a pas l'air prêt à lâcher, sa grand-mère l'entraîne à la cuisine sous prétexte qu'elle a besoin de son aide.

C'est Maude, cette fois, qui revient à Beaulieu. Elle raconte que Claire lui a fait les honneurs de la maison du peintre.

— J'ai été très émue. Figurez-vous que… non, je ne peux pas vous le dire. Il va falloir que vous attendiez la sortie du documentaire.

— Tu exagères, proteste son frère. Tu nous mets l'eau à la bouche et puis tu ne dis plus rien.

— Va rendre visite à Claire, je suis sûre qu'elle te la montrera.

Julien prend la voix de Samuel pour demander :

— Tu nous invites ?

La soirée est agréable et Claire se détend dans cette atmosphère familiale et bon enfant. Le lendemain, lorsqu'elle part, les Dumoulin la convient à revenir chaque fois qu'elle voudra.

— Mais tu emmèneras Elfie, exige Samuel.

::

En reprenant le tri des papiers du peintre, Claire pense à la chance qu'elle a eue de rencontrer Maude, sur les plans tant humain que professionnel. Il y a entre elles une connivence qui s'est établie spontanément. Jamais elle n'a rien connu de tel auparavant, sauf avec Florence. Elle pressent que Maude pourrait devenir une amie. De plus, par son entremise, elle va rencontrer des gens qui ne lui auraient pas ouvert leur porte si elle était venue seule. Pour les documents, il n'y aurait pas eu de problème : une lettre du notaire suffira à lui donner accès aux archives de la résidence concernant Adeline Monié. Mais sans la requête de Maude, qui est connue de tout le monde dans l'établissement et visiblement appréciée, la directrice n'aurait jamais proposé de la mettre en contact avec cette vieille infirmière qui a soigné la femme du peintre et vit encore à La Malbaie. Et il y a aussi la grand-mère : une dame âgée, malade et fragile qui, malgré cela, a gardé une vivacité étonnante dans le regard. Elle est prête à recevoir les visites de Claire et accepte d'être filmée. La directrice a précisé que les séances devront être brèves et pourront être annulées sans préavis. Claire a promis d'être attentive au moindre signe de fatigue.

::

Au moment de l'appel du soir, sa mère lui annonce une excellente nouvelle : la banque a accepté de financer les acheteurs, son père et Maurice vont pouvoir passer la main. Si nécessaire, Maurice s'occupera seul de la transition.

— Quel soulagement ! Et il est de mieux en mieux, il reparle de la verrière. J'ai hâte qu'il ait vu le médecin pour savoir ce qu'il en est réellement. Et toi, ça va ?

— Oui. J'ai recommencé de travailler.

Refroidie par la rebuffade de la veille, Diane s'en tient là. Claire lui avait raconté sa fin de semaine, lui disant que les Dumoulin étaient sympathiques et qu'elle s'était sentie bien chez eux. Elle avait parlé de Samuel, de son désir de voir la chienne et de sa possible visite avec son père, que la maison de Beaulieu intéresse.

Diane, évidemment, avait dégainé plus vite que son ombre :

— Tu dis qu'il est séparé, ce Julien ?

— Maman !

— Eh bien quoi ? Je pose juste une question.

— Oublie-la.

::

Dans les papiers de Beaulieu, elle est enfin tombée sur une enveloppe qui porte son nom et une adresse parisienne. Mais l'enveloppe est vide et il n'y a pas de nom d'expéditeur. La seule information qu'elle en retire est que le peintre a séjourné dans le Marais, un quartier qu'elle a visité à plusieurs reprises.

Paris a été leur premier voyage. Ils l'ont fait à quatre, comme tous les autres. À part les destinations familiales, il n'y a que pour des week-ends d'amoureux qu'ils sont partis seuls. Ils en avaient tellement rêvé de Paris ! C'était à Pâques, il a plu sans arrêt. Imperméables et parapluies sur toutes les photos. Ils se tordaient les chevilles sur les pavés mouillés. Que de pavés dans Paris ! Mai 68 ne les a pas tous arrachés, à moins que l'administration de la ville ne les ait remplacés. Ils avaient accompli le marathon des vrais touristes. Les lieux moins connus et les musées, ils les ont vus à leur deuxième voyage. Cette première fois, leur hôtel était sur les boulevards, à une suée de Montmartre. Place du Tertre, une artiste avait découpé leurs profils dans du papier blanc. Elle a gardé celui de Jean-Louis ; elle ne sait pas ce qu'il a fait du sien.

Elle démêle ses longs cheveux devant le miroir de la salle de bains, ces cheveux que Jean-Louis aime tant. Il les prend doucement à pleines mains puis les laisse couler entre ses doigts. Il enfouit son visage dans la masse de la chevelure. Il aime l'odeur de son shampooing au tilleul. Quand elle a été si malade, sa mère a dû les couper parce qu'elle était trop faible pour supporter la fatigue que nécessitait leur entretien. Il lui a avoué par la suite qu'il avait pleuré en le découvrant. Depuis, elle les a toujours portés longs. Parfois, elle a envié les cheveux courts de Florence. Ce serait tellement pratique ! Elle se demande s'il va insister pour qu'elle les laisse pousser. Elle ne le fera pas.

À Montréal, trop perturbée pour y penser, elle n'a pas acheté de lecture pour se détendre. Il faudrait qu'elle retourne s'approvisionner en romans.

::

Elle ouvre une boîte de soupe pour son repas de midi et va chercher le journal pendant que la soupe chauffe. Le journal est accompagné d'une pile de courrier sur lequel des étiquettes de changement d'adresse ont été ajoutées. Il y a la facture de Bell, celle d'Hydro, une lettre de l'Union des artistes et deux enveloppes portant des timbres français. Sur l'enveloppe blanche et mince, elle reconnaît l'écriture de Jean-Louis ; sur l'épaisse enveloppe brune, celle de Florence. Ses mains tremblent, ses jambes tremblent. Ne pouvant ni bouger ni penser, elle reste plantée au bord de la route.

Le facteur, qui repasse après avoir desservi une ferme éloignée, la tire de sa stupeur d'un coup de klaxon. Il lui fait un signe de la main signifiant : *Est-ce que ça va ?* Elle répond en levant le pouce et en s'efforçant de sourire. Elle est consciente de ne produire qu'un rictus, mais à son grand soulagement, il s'en contente et continue sa route. Elle se traîne jusqu'à la maison, pose le courrier inoffensif sur la table et garde en mains les deux enveloppes oblitérées en France. Le tampon indique *Paris-Charles-de-Gaulle*. Ils ont écrit dans le premier avion ou en attendant le deuxième et ont posté leurs lettres dans l'aéroport de transit. Pourquoi ? Pourquoi lui ont-ils écrit ? Ils auraient pu lui parler, lui expliquer. Cela aurait été la moindre des choses de lui éviter d'apprendre la vérité par hasard. Aurait-elle moins souffert ? Sans doute pas, car sa vie aurait été pareillement en miettes, mais tout de même, il n'y aurait pas eu ces coups répétés, un peu plus forts et plus douloureux chaque fois. Aurait-elle ressenti moins de rancune ? Non plus : une telle trahison ne se pardonne pas. Mais cela aurait peut-être évité le mépris. Elle les méprise de ne pas avoir eu le courage d'avouer en face ce qu'il en était, et ce n'est pas parce qu'ils ont écrit qu'elle les méprisera moins. L'enveloppe de Florence contient une liasse de papiers, celle de Jean-Louis probablement une seule feuille. Jean-Louis doit simplement lui dire que tout est fini entre eux et qu'il recommence sa vie avec Florence. Quelques lignes pour consommer la rupture. Florence, elle, n'arrive pas à trancher net. Elle a beaucoup écrit. Veut-elle justifier l'injustifiable ?

Il suffit d'ouvrir les lettres pour le savoir, mais elle n'y arrive pas. C'était pourtant ce qu'elle voulait : savoir. Elle s'est répété pendant des jours qu'elle ne réclamait qu'une chose : qu'il s'explique. Mais, en réalité, elle souhaitait qu'il dise que ce n'était pas vrai, rien d'autre. Or maintenant, avec ces lettres, il n'est plus possible de s'illusionner. S'il y avait eu seulement celle de Jean-Louis, passe encore, mais il y en a aussi une de Florence, et très longue, ce qui signifie qu'elle a beaucoup à dire, beaucoup à se faire pardonner.

Une odeur de brûlé attire son attention : la soupe a débordé. Il va falloir nettoyer les dégâts. Elle dépose les deux lettres sur le comptoir. Il reste du liquide au fond du récipient. Elle le verse dans un bol et en goûte une cuillerée qui lui soulève le cœur. Elle jette le contenu du bol dans l'évier, met la casserole à tremper et va se rouler en boule sur le sofa. Elle ne veut plus penser à rien.

Quand Elfie vient réclamer sa promenade, elle s'exécute, car n'y a pas de raison que la chienne pâtisse de ses plongées dans le vide.

En marchant, elle se demande quelle lettre ouvrir en premier. Parce qu'elle va le faire, il serait stupide qu'elles l'effraient. Mais il n'est pas indifférent de commencer par l'une ou par l'autre. Ce que dira la première influencera sa façon de lire la deuxième. Elle doit bien y réfléchir.

Si seulement ils n'avaient pas écrit! Mais ils l'ont fait et elle est incapable d'occulter l'existence de ces lettres. Elle doit les lire. Elle ne peut pas continuer à en ignorer le contenu, même si elle est certaine qu'il va la déchirer. Seulement, le lieu et le moment doivent être convenablement choisis. Pas le soir: si elle les parcourt avant de téléphoner à sa mère, celle-ci devinera à sa voix qu'elle est affectée; si c'est après et qu'elle va se coucher là-dessus, c'est la nuit blanche assurée, avec pour conséquence une journée de zombie le lendemain. En se levant? Sale manière de commencer un jour nouveau. Voilà pour le *quand*, qui n'est pas réglé. Elle essaie le *où*. Certainement pas dans la maison, car elle va encore s'effondrer et disparaître du monde des vivants pendant un jour ou deux, ce qui affolera sa mère. Il faut les lire ailleurs, pour que le retour, après la lecture, lui donne le temps de se ressaisir. Quel serait le bon endroit? Québec où elle se propose d'aller prochainement? Non. Pas de trajet en voiture. Elle risquerait l'accident et, même si dans le fond cela lui paraîtrait une issue souhaitable, elle est consciente de ne pas avoir le droit de faire cela à ses parents. Alors? Elle n'en sait rien.

Comme si une force l'y attirait, elle monte l'escalier qui conduit à la maison voisine et s'assoit sur les marches de la galerie. La présence diffuse du peintre, si souvent perçue en ces lieux, est aujourd'hui presque palpable, et Claire ressent le besoin de lui exposer ses sentiments pour démêler leur confusion. Cet homme, qui a tellement souffert de la douleur ayant détruit sa femme, va l'écouter, la comprendre et la guider. Face aux grands arbres, que la pénombre qui s'installe rend presque noirs, elle parle de Jean-Louis, qu'elle aime de toutes ses fibres. Elle exprime à voix haute ce que depuis des jours elle tente de nier: Jean-Louis l'a abandonnée afin de recommencer sa vie avec Florence. Elle dit aussi qu'elle voulait un enfant de lui. Qu'elle le voulait si fort, cet enfant qui n'aura jamais d'existence, qu'elle a le sentiment de l'avoir perdu. Elle répète que sa vie est finie, que plus rien n'a de sens. Ici, pas besoin de prétendre que tout va bien quand tout va mal. Elle se plaint longuement, presque voluptueusement. Cependant, il arrive un moment où son apitoiement sur elle-même parvient à la lasser. Sa veulerie et son orgie de lamentations l'écœurent, et lui apparaît alors ce qu'elle avait perdu de vue tandis qu'elle se vautrait dans les multiples replis de sa détresse : sur la galerie où elle a échoué, une femme, il y a quelques dizaines d'années, s'est laissé gagner par la folie à cause de son mal d'enfant. Démissionner de la vie, est-ce cela qu'elle-même veut ? Rester assise en regardant le vide ? Non. D'ailleurs, elle a déjà recommencé de vivre entre ses accès de désespoir. Elle souffre comme une damnée, certes, mais elle travaille, mange, parle à sa mère... Ses parents escomptent qu'elle réagira et se prendra en mains, et elle sait qu'elle en a la force : dans le passé, elle a affronté la maladie et les difficultés professionnelles ; ces jours derniers, elle a tenu bon lors de l'accident de santé de son père. Elle est apte à se colleter avec la douleur, il lui suffit de le vouloir. Elle est capable de lire ces lettres. La voix du vieil homme lui susurre : *Fais-le ici*. Pourquoi n'y avait-elle pas pensé ? C'est le mieux. Oui, elle les lira ici. Demain. *Non*, insiste-t-il, *maintenant*.

Même si cette perspective l'affole, elle sait qu'il a raison : pourquoi encore atermoyer ? Cela ne changera rien : elle ne peut souffrir davantage. Une fois les lettres récupérées sur le comptoir de la cuisine, elle réalise n'avoir pris que la moitié de la décision, disons les deux tiers : elle sait *où* et *quand* les lire, mais pas par laquelle commencer. Celle de Jean-Louis est assurément une lettre de rupture destinée à enfoncer le clou. Si elle la lit en premier, elle ne sera même pas capable de comprendre les mots employés par Florence tellement elle sera bouleversée. Puisqu'elle en subodore le contenu, il ne devrait pas lui causer autant de mal, mais ce n'est pas pareil de supposer, en gardant un infime et ridicule espoir de s'être trompée, que de voir confirmées ses intuitions. Et si elle commence par l'autre, si épaisse, tout va être précisé et éclairci et la douleur instillée par les images que les mots susciteront sera peut-être plus forte.

Pour retourner à la maison voisine, elle passe par la grève. Sa décision n'est toujours pas prise. Elle va la laisser au hasard. Si le grand héron s'envole vers la gauche, elle lit celle de Jean-Louis. Elfie vient se planter devant elle et attend son bois flotté qu'elle lui lance tout en scrutant la surface du fleuve pour distinguer l'éclat argenté de l'échassier. Elle le voit tous les jours, c'est impossible qu'il soit absent aujourd'hui. Mais elle doit se rendre à l'évidence : il n'est pas là. Il lui faut trouver autre chose. Bêtement pile ou face ? Irréalisable faute de pièce ; ici, elle n'a de l'argent que lorsqu'elle part en voiture faire des courses. Alors ? L'escalier de pierre approche, elle doit décider. Si c'est le pied gauche qu'elle pose sur la première marche, elle lit celle de Jean-Louis.

C'est le droit. Soulagement.

Elle s'assoit, laisse la lettre de Jean-Louis sur ses genoux, décachette de l'index celle de Florence, sort la liasse de feuilles, plus de vingt pages. Isidore Beaulieu n'est plus là : elle doit affronter l'épreuve seule. Elle commence la lecture en retenant son souffle.

Ma très chère Claire…

Non, elle ne bondit pas, ne hurle pas, trop sonnée pour cela. Elle passe par toute la gamme des émotions sans qu'aucune domine. Peut-on réellement ressentir en même temps la frustration, la colère, la tristesse, l'amertume ? Marc leur a envoyé son film à eux aussi, mais ils ne l'avaient pas vu lorsqu'ils ont écrit leurs lettres. Florence n'aurait pas pu prétendre que ce désir leur est tombé dessus par surprise.

La lecture de la lettre de Jean-Louis n'est plus qu'une formalité. Elle en prend connaissance avec une sorte de détachement.

Chère Claire,

Je t'écris sur les instances de Florence. Elle estime que j'ai esquivé une explication nécessaire. Mon but était de t'épargner. Je croyais inutile de t'apprendre cet épisode qui n'aurait dû avoir aucune importance, mais dont Marc a choisi de faire un drame. Voilà : un soir Florence et moi avons eu un moment d'égarement. Ce n'était pas prémédité : c'est arrivé par hasard, et nous l'aurions gommé de notre souvenir si Marc n'était pas malencontreusement survenu à ce moment-là. Il a cru que nous avions une liaison, ce qui était faux, mais il n'a voulu entendre aucune explication. Il n'y a rien eu d'autre entre Florence et moi que ce moment-là, que je regrette et elle aussi. Nous partons travailler au Mali à titre de collègues, et il n'y aura rien de plus entre nous. Je t'en aurais parlé si je n'avais craint, en voyant la réaction de Marc, que tu croies toi aussi que c'était un événement important. Florence est pour moi une amie et rien de plus. À l'exception de cet incident, il n'y a jamais eu d'autre femme que toi.

Maintenant, mon départ au Mali. J'avais d'abord projeté de t'emmener, en me réservant de te convaincre au dernier moment et sûr que j'y parviendrais. Malheureusement, je n'avais pas prévu que le fait de préparer seul ce projet auquel je tenais tant m'a détaché de toi. Peu à peu, nous n'avons pratiquement plus rien partagé : tu étais absorbée par ton travail, moi par le mien, et nous sommes devenus étrangers l'un à l'autre. Quand je l'ai découvert, j'en ai été profondément déstabilisé. J'ai eu l'impression qu'une grande part de ma vie m'était ôtée, mais j'ai compris qu'il s'agissait d'un point de non-retour. Nous n'aspirons pas à la même vie : toi, tu veux un enfant, moi je veux m'occuper des enfants africains. Toi, tu souhaites vivre dans une maison à Montréal, moi j'ai envie de bouger, de partir, de connaître des lieux nouveaux. Je n'aurais pas reculé

là-dessus et tu aurais été malheureuse. Le moment est venu de prendre des chemins différents. Je t'ai aimée, Claire, plus que tout au monde, et j'espère que tu seras heureuse, mais ce n'est pas avec moi que tu peux l'être. Accepte-le et regarde devant.
Jean-Louis

Net, précis, chirurgical. À son image. De l'émotion quand même à la fin, mais qui permet de tracer la dernière frontière.

Elle reste longtemps immobile sur la galerie, les mains posées sur les lettres, abattue. Une voix intérieure lui dit : *Maintenant que tu les as lues, détruis-les. — Mais si je veux les relire ? — Tu sais ce qu'elles contiennent, tu n'en as plus besoin.* Elle résiste un moment. Le jour baisse et Elfie commence de s'agiter. Il est temps d'en finir. Elle déchire les pages avec application. En deux, en quatre, en huit et finalement en confettis. Le vent se lève. Elle s'approche de la falaise, les fragments de papier dans ses mains en coupe, et les offre au vent qui les emporte vers le fleuve.

À l'abattement succède la colère. Elle voudrait détruire Jean-Louis et Florence comme elle a détruit leurs lettres. Les faire souffrir comme elle-même souffre. Le savent-ils ce qu'ils lui ont fait ? Et en plus, ils mentent. Elle a vu leurs regards sur le film de Marc. La jalousie la déchire. Ils sont arrivés à destination depuis plusieurs jours. Ils sont installés, ensemble quoi qu'ils disent. Les mains de Jean-Louis sur le corps de Florence. Elle les hait ! Campée au bord de la falaise, elle hurle sa haine et sa douleur face au fleuve, dans la nuit qui descend. Un aboiement effrayé d'Elfie la ramène à la raison. Elle retourne chez elle.

— Oui maman, je vais bien. Mais non, je n'ai pas une drôle de voix. J'ai ramassé des feuilles cet après-midi et je les ai brûlées ; la fumée m'a fait tousser, ce qui a irrité mes cordes vocales. Et papa ?

— De mieux en mieux.
— *Cool!*

Toute la nuit, elle ressasse le contenu de la lettre de Jean-Louis. Il n'était pas nécessaire de la garder, tout est imprimé dans son cerveau. Elle pèse chaque mot et doit se rendre à l'évidence : non seulement il a définitivement rompu, mais il en serait arrivé là de toute manière. Elle n'a même pas à se demander si elle aurait pardonné sa trahison, car il soutient que ce n'en était pas une et ne présentera jamais d'excuses. Jusque-là elle avait continué d'espérer qu'il changerait d'avis. Sa première lettre semblait ne fermer aucune porte puisqu'il y parlait de réfléchir. Grâce à l'éloignement, il aurait pu réaliser qu'il préférait vivre avec elle. Pourtant, elle sait bien que ce n'est jamais vrai. Elle a vu des couples se défaire, certains dans la violence et la haine, d'autres *pour faire le point*. Ceux-là ne se sont pas remis ensemble. Les autres non plus, bien sûr. Quand une histoire d'amour est finie, il n'y a rien à attendre, et il est clair que leur histoire est finie, indépendamment de ce que Claire peut souhaiter et ressentir. Et Florence, après toutes ces années de complicité, comment a-t-elle pu garder secret l'engagement de Jean-Louis dans le projet malien ? Est-ce qu'elle-même, Claire, en aurait été capable ? Non. L'amitié serait passée avant. Elle le lui aurait dit. Florence a dû penser que le lui apprendre, c'était risquer de compromettre leur relation. Pour sa part, si elle avait craint que sa révélation n'ait des conséquences sur les liens unissant Florence et Marc, elle aurait peut-être hésité. Elle a toujours voulu que Florence soit heureuse et la réciproque était vraie. Il aurait fallu que son amie refuse tout de suite ; après, c'était devenu un engrenage. Voilà qu'elle lui trouve des excuses. Florence n'en a pas, pourtant. On ne ment pas ainsi à une amie de presque vingt ans avec qui on a partagé tous les moments importants de son existence. En se taisant, elle espérait peut-être ce qui s'est produit : que Jean-Louis parte seul. Ils disent tous les deux qu'il n'a pas quitté Claire pour elle. Si c'est vrai, Jean-Louis ne veut tout simplement plus de sa vie antérieure. Claire se souvient de Laurine, abandonnée par son *chum* pour une fille qu'elle trouvait plus jolie et plus intelligente qu'elle, et qui répétait à quel point c'était humiliant. Claire croit pourtant que c'est pire d'être quittée parce qu'on ne fait pas l'affaire. *Il vaut mieux être seul que mal accompagné.* Elle accompagnait mal Jean-Louis. Elle n'était pas la compagne qu'il lui fallait, et il préfère ne pas en avoir plutôt que rester avec elle. Même si, selon lui, cela n'a pas eu d'incidence sur sa décision, il l'a quand même trompée. Un *égarement*. Elle essaie de toutes ses forces d'en repousser la vision. Ils se sont embrassés, se sont déshabillés. Non : ils ont arraché leurs vêtements, elle les a vus éparpillés sur le sol. Et c'est arrivé après des mois de désir refoulé, quoi qu'ils en disent. Elle a vu leurs regards filmés par Marc. Jean-Louis avait rarement envie de faire l'amour les derniers temps. Il prétend que ce n'était pas à cause de Florence. C'était donc à cause d'elle, qui n'était plus désirable. Florence l'était. Ils disent qu'ils n'ont pas de liaison et n'ont pas envie d'en avoir une, mais en Afrique, quand ils seront les seuls dans le village à avoir la même culture, le même passé, les mêmes valeurs, ne vont-ils pas se rapprocher ? Cela ne la concerne pas, ne la regarde pas.

Elle voudrait imaginer que, si elle ferme les yeux, elle s'apercevra en les rouvrant que tout était faux, que c'était une scène de film ou de roman, qu'elle a créé un fantasme pour se faire peur et mieux profiter de son existence. Mais ses yeux restent bien ouverts, le sommeil ne vient pas. Dans un de ses sursauts de colère, elle déchire la photo du Bic où elle est avec Florence et celle de la Saint-Jean avec Jean-Louis, puis elle s'effondre, en larmes, dévastée par le souvenir des moments de bonheur que ces photos représentaient.

Au matin, elle est à la fois épuisée et fébrile. Elle ne sera jamais capable de se concentrer sur son travail. Au lieu de passer la journée à tourner en rond, elle décide de se rendre à Québec. Elle note l'adresse de l'ami de Beaulieu. Si elle en a le courage, elle ira enquêter. En roulant, elle essaie de penser à autre chose, mais ce sont toujours les mots de Jean-Louis qui tournent dans sa tête. *Peu à peu, nous n'avons pratiquement plus rien partagé : tu étais absorbée par ton travail, moi par le mien, et nous sommes devenus étrangers l'un à l'autre.* Si c'était vrai, elle aurait dû s'en apercevoir. Tout cela ressemble à un mauvais rêve.

Un coup de klaxon la fait sursauter. L'automobiliste qui vient en face lui adresse un signe de colère. Elle comprend qu'elle était tellement prise par ses pensées qu'elle s'est déportée sur la voie de gauche. Elle n'a pas rêvé, la rupture n'est pas une fiction, mais fait partie de la vraie vie, la sienne, et même si sa santé mentale est en danger, ce n'est pas une raison pour faire courir des risques aux gens qui la croisent. Elle esquisse un geste d'excuse vers l'automobiliste qui a déjà disparu et s'efforce d'accorder toute son attention à la conduite. Depuis la veille, sa souffrance, qui avait fini par s'atténuer, a de nouveau atteint un pic. Cependant, Claire doit admettre qu'elle est moins dévastée qu'à la réception de la première lettre. Elle est même capable d'aller s'acheter des livres. Une initiative qui est incontestablement celle de quelqu'un envisageant d'être encore en vie le lendemain.

:::

Elle trouve à se garer dans une petite rue et gagne la librairie. Elle réussit à éloigner son tourment pour prendre plaisir à flâner dans les rayons, à sentir le papier neuf et l'encre. Elle parcourt des quatrièmes de couverture, un premier paragraphe ici et là, s'égare dans la poésie, lit une strophe au hasard d'un recueil, puis une autre. Avec les éditions de poche, elle est plus attentive pour ne pas se retrouver, comme cela s'est déjà produit, avec un livre lu il y a quelques années, ou pire : quelques mois. Lorsqu'elle en a une dizaine, elle passe à la caisse. Elle a presque rejoint sa voiture quand un homme qui arrive en courant la bouscule et la projette violemment à terre. Sa tête cogne le trottoir et elle a un éblouissement. En rouvrant les yeux, elle voit, penchées sur elle, des femmes bizarres dont certaines sont vêtues de blouses noires informes et arborent des cheveux hirsutes collés par une pâte noirâtre ou violacée. Elle a un mouvement de recul avant de comprendre que ce sont les clientes d'un salon de coiffure attirées dehors par sa mésaventure. On l'aide à se relever. Quelqu'un ramasse ses livres éparpillés. Un passant offre d'appeler des secours.

Elle refuse :

— Ce n'est rien. J'ai juste une bosse sur le crâne.

Une femme à la chevelure bicolore savamment désordonnée propose :

— Venez dans le salon, je vous donnerai de la glace.

Les jambes flageolantes, elle s'assoit avec reconnaissance. Pendant qu'elle maintient le sac de glace sur sa bosse, la conversation fait rage. Les clientes attendant que leur teinture ait pris ne s'ennuient plus : elles veulent savoir ce qui s'est passé. Claire l'ignore, c'est arrivé trop vite. Elles s'indignent au sujet des gens qui ne prêtent pas attention aux autres.

— Nous vivons dans un monde de plus en plus individualiste. Où allons-nous ? Je vous le demande.

Les coiffeuses ont repris leur travail. L'une d'elles, dont la cliente n'est pas prête, lui apporte un café. Claire se regarde dans le miroir qui lui fait face et soudain, prise d'une impulsion, elle s'informe :

— Vous avez le temps de me couper les cheveux ?

— Oui, mais je ne suis pas sûre que ce soit une bonne idée. Vous n'avez pas trop mal ?

— Non. J'ai surtout été surprise et choquée.

— Comme vous voulez. Passons au lavabo.

Avant de lui mouiller les cheveux, elle les prend dans ses mains.

— Ils sont magnifiques.

Des murmures approbateurs viennent des fauteuils avoisinants. La coiffeuse la shampouine avec précaution. En démêlant sa chevelure qui arrive au milieu du dos, elle demande :

— Combien on en coupe ? Un pouce pour enlever les pointes abîmées ?

— Non. Je veux une coupe très courte.

Silence stupéfait dans le salon. Tous les regards convergent vers elle.

— Vous plaisantez ?

— Pas du tout.

Les clientes s'y mettent, disent qu'elles tueraient pour avoir des cheveux comme les siens.

Elle leur répond :

— C'est une décision mûrement réfléchie, et de toute façon, des cheveux, ça repousse.

— On va y aller progressivement, déclare la coiffeuse, prudente. Ça vous donnera la possibilité de changer d'avis.

Elle les coupe d'abord aux épaules.

— Continuez !

Au menton.

— Continuez !

— Bien, allons-y.

Maintenant qu'elle est sûre que sa cliente ne lui en voudra pas, elle y prend plaisir.

— Avez-vous une idée de la coupe que vous souhaitez ?

— Non. Seulement qu'elle soit courte.

— *Flyée* ?

— OK, *flyée*.

Quand c'est terminé, Claire voit que la coiffeuse a tenu parole : il ne lui reste plus grand-chose sur le crâne, mais c'est de longueurs variées.

— Ça vous plaît ?

— Beaucoup.

Il est trop tard pour enquêter sur son témoin du passé. De toute façon, elle n'en a pas envie. En conduisant, elle passe sans arrêt la main dans ses cheveux, incapable de s'en empêcher. La sensation est bizarre et le reste, même après une heure et demie de route ponctuée de nombreuses vérifications tactiles. Elle se sent d'une légèreté étonnante. En la voyant, madame Bolduc, qui gardait Elfie, frise la commotion.

— Sainte bénite ! Si je m'attendais ! Et votre mari, qu'est-ce qu'il va dire ? Il le sait, au moins ?

— C'est lui qui en a eu l'idée.

La réponse lui coupe le sifflet. Claire en profite pour s'en aller.

Il est trop tard pour la promenade : Elfie devra se contenter du terrain devant la maison pour se dégourdir les pattes. Elle refuse de manger, madame Bolduc l'aura gavée.

En se levant, le matin suivant, Claire se sent bizarrement légère sans en connaître la raison. Quand elle pose les yeux sur le miroir de la salle de bains, elle a un choc : elle avait complètement oublié son exploit de la veille. Elle n'arrive pas à décider si cela lui plaît. Il est certain qu'on ne la percevra pas de la même façon : il y a un monde entre la jeune femme à la chevelure moderne et agressive d'aujourd'hui et l'Ophélie romantique de sa vie précédente. Si l'habit fait le moine — mais on dit qu'il ne le fait pas —, sa nouvelle personnalité va en étonner plus d'un. Cependant, si son geste était inconsciemment destiné à blesser Jean-Louis, c'est raté : non seulement cela lui est désormais indifférent, mais il n'en saura rien. Toute communication est rompue. Sa lettre n'attend pas de réponse, pas plus que celle de Florence : ils se sont bien gardés l'un et l'autre de mettre une adresse d'expéditeur. Déverser sur elle leurs états d'âme leur paraît normal, mais ils ne veulent rien connaître des siens. Cette pensée, qui vient juste de la frapper, provoque sa colère. Ostie qu'elle leur en veut ! À leurs yeux, Claire ne compte pas, si ce n'est pour leur permettre de tourner la page en l'excluant. Ce constat devrait guérir sa peine et supprimer ses regrets. Devrait.

Elle n'a rien dit à sa mère. Quand elle la verra, Diane interprétera cette décision de faire couper ses cheveux comme un geste symbolique visant à s'approprier cette rupture qui lui a été imposée. Ce n'est malheureusement pas aussi simple. Il ne suffit pas de défigurer celle que Jean-Louis a aimée pour effacer son existence. C'est même un peu puéril. *Anyway* : c'est fait et il ne lui reste plus qu'à s'y habituer. Elfie, elle, ne voit pas de différence.

La rupture que sa mère a vécue dans sa jeunesse a-t-elle été difficile ? Probablement. Le divorce n'était pas fréquent dans les années soixante, mais elle a divorcé, et Claire sait par sa grand-mère que ce n'était pas à son initiative. Par la suite, elle a rencontré Michel et l'a épousé. Parce qu'elle l'aimait, non par besoin qu'on prenne soin d'elle. Elle était financièrement indépendante et avait son propre domicile. Claire ne pourra jamais se réinstaller dans l'appartement où elle a vécu avec Jean-Louis. Elle ne dormira plus jamais dans *leur lit*. Elle va tout *domper*. Sa mère trouve que c'est un peu excessif.

— Tu jetterais tes livres ?

Pas les livres. Elle gardera aussi ses vêtements, bien sûr. Mais aucun meuble, aucun objet porteur de souvenirs. Faire table rase.

Le paysage change. L'hiver approche. Il lui reste peu de temps à passer ici. Où ira-t-elle ensuite ? Elle ne veut ni retourner chez elle ni s'installer chez ses parents. Elle ne peut pas chercher un nouvel appartement en étant loin de Montréal. Et puis, il faudra disposer de l'ancien, le vider, trouver un lieu pour les affaires de Jean-Louis. Elle les imagine entassées sur le trottoir un vendredi soir tandis qu'elle jubile en entendant le camion à ordures se rapprocher. Il le mériterait pour lui avoir tout laissé sur les bras. Mais elle ne le fera pas, elle n'est pas ainsi.

Elle aurait besoin de quelqu'un pour parler de tout cela, l'exorciser. Une amie. Florence aurait été la personne idéale. Ensemble, elles auraient pu décortiquer le moindre mot, le moindre geste. Avec Elfie, sa seule interlocutrice, elle se cantonne à des sujets de chien : la promenade, la brosse... Elle ne se voit pas lui dire : *Tu sais, Elfie, Jean-Louis m'a quittée et j'en crève*. Honteuse, elle regarderait par-dessus son épaule pour vérifier si un témoin l'a entendue geindre à l'oreille de sa chienne.

Comme si elle l'avait pressenti, Maude téléphone.

— J'ai pensé que, si tu avais un lit d'appoint, je pourrais m'inviter chez toi. Dimanche, on irait manger la dinde avec mes parents.

La dinde. Elle avait effacé de son esprit que la prochaine fin de semaine est celle de l'Action de grâces. Celle où Jean-Louis devait la rejoindre. Elle l'aurait redécouvert en lisant le journal ou en écoutant la radio et cela aurait provoqué un nouveau trou noir. Mais Maude va venir. Claire trouvera la force de lui raconter, de décortiquer avec elle le moindre mot, le moindre geste, de rationaliser et, peut-être, un jour, de finir par accepter. Avec Maude, elle va pouvoir.

— Génial, je t'attends.

— Ne t'inquiète pas du souper : je passerai chez un traiteur.

— Parfait. J'ai de quoi boire.

— Alors à samedi.

::

En la voyant, Maude s'exclame :

— Waouh ! Ça, c'est du changement ! Tu es une autre femme.

— Je le voudrais bien.

Le ton est donné : familiarité, complicité, confidences. Au bord du fleuve qu'elles longent avec Elfie, dans la maison de Beaulieu où Maude a souhaité retourner, sur la terrasse où elles restent tard malgré la fraîcheur, pelotonnées au creux du sofa, leur verre à la main, elles se racontent, s'analysent, s'encouragent. Une amitié est en train de naître. L'Afrique s'éloigne.

Au repas de l'Action de grâces, Julien et Samuel ne sont pas là. L'enfant est chez sa mère et son père n'est pas venu. Claire, qui avait préparé des photos d'Elfie pour le petit garçon, est un peu déçue.

:: ::

— Tu es vraiment décidée à quitter ton appartement ? lui demande sa mère.

— Oui.

— La nièce de ma collègue Suzanne, qui vient du lac Saint-Jean, s'est inscrite au Cégep du Vieux-Montréal. Elle commence en janvier et sa tante lui cherche un logement qu'elle pourrait partager avec une ou deux autres étudiantes. Tu pourrais le lui sous-louer.

— …

— Je ne lui en ai pas parlé. Réfléchis et tu me diras ce que tu en penses.

Ce serait la meilleure solution. Avec Maude, elle a évoqué le problème de l'appartement, qu'elles ont reconnu comme le premier à résoudre. Réconfortée par sa présence chaleureuse,

Claire a admis sans peine que le mieux est de s'en débarrasser au plus tôt. Maintenant, il ne s'agit plus d'en parler de manière abstraite : il faut décider, et elle y répugne, car tant qu'elle le garde, la réalité peut s'estomper dans un flou au point de cesser d'exister. Alors, pour un temps, rien n'est arrivé : Jean-Louis est à Montréal, où il l'attend. La proposition de sa mère la perturbe. Il va falloir lui répondre. Elle ne peut pas lui dire non et ne se résout pas à lui dire oui.

En marchant sur la grève, elle pense à l'appartement, à son incapacité d'y vivre, à son déchirement à l'idée de le quitter. Dans la cuisine, ils ont préparé tant de repas ensemble pour Florence et Marc. Ils s'entendent parfaitement dans une cuisine. Claire épluche les légumes, Jean-Louis apprête la viande. Il adore les plats mijotés. Il revient sans cesse soulever le couvercle et goûter la sauce. Elle s'occupe des desserts. Des gâteaux au chocolat, bien crémeux. La salle à manger n'est pas vraiment séparée, ce qui permet à celui qui finit la confection d'un plat de participer à la conversation avec les convives. La soirée se termine sur le vieux futon du salon, avec une dernière bouteille de vin ou quelques bières. C'est un grand appartement, avec un bureau pour chacun. Jean-Louis se moque de la vue : il a pris le mur d'en face et lui a laissé l'érable. Et leur chambre… Trop féminine. Du blanc et du parme, des dentelles, un peu ridicule, sans doute, mais il n'a jamais protesté. Pas à pas, elle fait le deuil de chaque pièce, des repas joyeux, des heures de travail jubilatoires, des nuits d'amour. Toute cette existence abandonnée au courant du fleuve, Claire est prête à autoriser sa mère à faire visiter l'appartement. Elle pensera plus tard aux détails matériels.

::

— Savais-tu que Jean-Louis avait déménagé ses affaires ?

— Tu parles de ses vêtements ?

— Également de son bureau. Il a laissé une note sur la table.

— …

— Elle n'est pas sous enveloppe.

Claire serre les dents à s'en faire mal à la tête. Puis elle respire profondément et demande :

— Tu peux me la lire ?

— Je t'avertis, c'est un peu sec.

— Vas-y, maman.

— *J'ai enlevé tout ce qui m'appartenait en propre. Je te laisse nos possessions communes. À toi de les garder ou de les vendre, comme tu voudras. Je vais continuer de verser ma quote-part du loyer et des charges sur notre compte joint jusqu'à la fin du bail. Nous pourrons le clore ensuite.*

— C'est tout ?

— Oui.

— Je suppose que je dois m'en réjouir. Il est difficile d'être plus correct.

— Écoute, Claire…

— Ça va, maman, tout va bien.

Encore un déchirement. Comment est-ce possible ? Elle n'a rien perdu de plus. Au contraire, il lui a évité la douleur de trier ses affaires. Il faisait ses boîtes pendant qu'elle prenait la décision de lui exprimer fermement son désir d'avoir un enfant tout de suite. Elle s'écrase devant la télé avec sa bouteille de vin blanc. Inutile de la remettre au frais.

::

Pour lutter contre son mal de tête apocalyptique, elle passe la matinée à boire de l'eau et du jus d'orange. Au moment où elle range la bouteille vide dans le placard assigné à cet usage, elle songe qu'elle doit demander à madame Bolduc où déposer le verre à recycler avant qu'il y en ait trop. Sinon, quand elle ira, elle se fera une réputation de pochetronne. Ces bouteilles de formes diverses dont une est de guingois lui rappellent de manière inopportune les natures mortes de Morandi que la lettre de Florence lui a remises en mémoire. Elle ne veut pas se souvenir de Bologne.

::

La nièce de Suzanne est intéressée par l'appartement, y compris les meubles si Claire ne les vend pas trop cher. Elles ne devraient pas avoir de difficultés à s'entendre : Claire préférerait les donner plutôt que les garder. L'étudiante viendra le visiter au milieu de la semaine prochaine.

— Est-ce que tu pourrais être là ?

Il le faudra bien. Elle ne va pas obliger sa mère à s'occuper de ça. Même si la fille ne prend pas l'appartement, elle en profitera pour déménager afin de ne pas étirer cette situation. Ses parents ne s'opposeront pas à ce qu'elle entrepose ses boîtes dans leur garage en attendant d'avoir un nouveau logement.

Elle fuit la maison voisine. Trop encombrée de sa propre personne, elle est incapable de s'immerger dans la vie du couple qui a souffert à quelques dizaines de mètres d'elle. Elle ne peut que lire, mais y consacre tout son temps et prend des notes. Tout cela servira à un moment donné.

::

Le samedi matin, l'isolement, lot quotidien de Claire devenu une habitude tolérable, lui pèse aussi fort que dans les premiers temps. C'est parce que Maude devait venir. Désolée, elle a appelé la veille pour s'excuser à cause d'un empêchement professionnel de dernière minute. Ce changement de programme transforme sa solitude en un état imprévu auquel Claire a du mal à s'adapter. Elle traîne, une tasse de café à la main, en se demandant si elle va aller faire un tour au dépanneur, juste pour voir un être humain avec qui bavarder un peu.

La sonnerie du téléphone, inattendue, lui donne un coup au cœur. À l'exception de Maude, seule sa mère l'appelle, et c'est toujours le soir. En une fraction de seconde, elle anticipe et redoute une catastrophe. Son père! S'il était arrivé quelque chose à son père… Elle décroche en tremblant.

À l'autre bout, une voix d'enfant:

— Bonjour, Claire. C'est Samuel. On peut-tu venir voir Elfie cet après-midi?

Le soulagement lui fait monter des larmes.

— Bien sûr, Samuel, avec plaisir.

— Je te passe papa.

Après inspection du frigo et des armoires de cuisine, où elle découvre que les produits qu'elle n'a pas achetés n'ont pas profité de sa distraction pour se matérialiser par génération spontanée, Claire fonce chez Bolduc.

— Je reçois cet après-midi un petit garçon de quatre ans, dit-elle à la commerçante. J'ai besoin de conseils.

Madame Bolduc l'aide à remplir son chariot de ce que n'importe quel parent normalement constitué appellerait des cochonneries. L'obligeante dame est aussi dépourvue de notions diététiques pour les enfants que pour les animaux. Peu importe: Samuel ne fera qu'un goûter, ce ne sera pas suffisant pour mettre sa santé en péril.

Entre Samuel et Elfie, le coup de foudre est réciproque. Les deux adultes, assis sur la galerie, s'amusent de les voir si bien jouer ensemble. Julien parle de son reportage, des difficultés qu'éprouvent les immigrants à s'habituer à un climat, à une culture, à un métier, parfois très différents de ce qu'ils ont connu. Claire raconte qu'elle a du mal à mettre de l'ordre dans les papiers de Beaulieu. Ils vont jusqu'à la maison voisine, que Julien souhaite visiter. Il le fait seul pendant que Claire surveille Samuel et Elfie afin que la chienne n'entraîne pas le garçonnet trop près de la falaise. Il en ressort impressionné et se déclare désireux de suivre l'avancement du travail de Claire. Elle promet avec plaisir de le tenir au courant : ce sera précieux de pouvoir parler de ce qu'elle fait à quelqu'un qui en comprend toutes les facettes.

Lorsqu'ils repartent, après un goûter qui a provoqué une grimace du père et une approbation sans réserve du fils — Claire s'en est excusée : le choix, au dépanneur... —, Samuel crie par la vitre baissée :

— Bye, bye, Elfie ! À bientôt !

Leur visite a été salutaire : elle a réenclenché le désir de bouger, de prendre des initiatives, de vivre. Mais avant cela, il y a des choses à régler. Pour en être quitte, Claire décide de se rendre à Montréal dès le lendemain.

::

Madame Bolduc est ravie de s'occuper d'Elfie. Claire la lui dépose avant de partir comme on se sauve, pour s'empêcher de réfléchir et de changer d'avis, parce qu'en réalité elle voudrait fuir ce vers quoi elle s'en va.

Elle se rend directement à l'appartement. Aller d'abord chez ses parents lui ferait perdre le courage qu'elle a passé tout le trajet à se forger, en se répétant à quel point ce qu'elle vivait était peu de chose en comparaison du voyage précédent durant lequel son père a failli mourir. Cela lui remet en mémoire toutes les étapes de ce dimanche d'angoisse, ce qui aggrave son état de tension et d'anxiété. Aucun des autres sujets qu'elle essaie d'évoquer ne parvient à effacer la vision de l'appartement qui l'attend avec le bureau vide de Jean-Louis et sa penderie vide.

La voilà devant la porte, la clé dans sa main tremblante, incapable de se décider à l'engager dans la serrure. Un aboiement interrompt ses hésitations : madame Surprenant, deuxième voisine et curieuse performante, sort de chez elle avec son chien. Claire déverrouille et s'engouffre dans la maison avant que la femme ait eu le temps de la héler. Elle a dû voir Jean-Louis emporter ses affaires et a sans nul doute une batterie de questions à poser. Quoi qu'il en soit, elle lui a involontairement rendu service : la voilà dans la place. Tout est tellement familier que ce serait lénifiant si elle ne découvrait des manques ici et là, qui la poignardent. Dans l'entrée, une affiche du Che que Jean-Louis a toujours possédée et qu'il a fini par faire laminer parce qu'elle s'abîmait ; dans la cuisine, le bloc de couteaux très affûtés qui servent à préparer la viande et qu'elle refusait d'utiliser en affirmant qu'elle ne toucherait jamais à ces armes de commando ; sur un mur du salon, des photos de gens avec qui il a travaillé ou manifesté. Et puis son bureau, tellement grand et sonore maintenant qu'il est vide. Elle se fait violence pour entrer dans la chambre. Apparemment, il n'a rien emporté. Elle cherche son odeur dans l'oreiller, mais il a été lavé et ne sent que le produit assouplissant. Sa mère ? Elle est capable d'avoir pensé à ce détail. Claire s'allonge sur le lit et cale sa tête avec les deux oreillers. Elle tend la main vers la table de nuit pour prendre *Sido*, le livre de Colette qui la suit depuis le cégep, et découvre qu'il manque une photo : celle de la Saint-Jean, dont elle a déchiré la réplique après avoir lu les lettres. Il a eu envie de garder cette image d'eux. Ce détail la dévaste plus encore que tout le reste. Elle pleure dans les oreillers jusqu'à ne plus pouvoir respirer.

Le téléphone. Qui ? Son cœur bat la chamade. L'idée de répondre la révulse quelle que soit la personne au bout du fil. Elle ne veut pas être obligée de donner des explications. *Pourquoi es-tu là ? Pourquoi Jean-Louis n'y est-il pas ?* La sonnerie dont elle espère l'arrêt insiste interminablement. Claire pense soudainement que ce doit être sa mère. Elle a pleuré longtemps et il est tard. Diane doit s'inquiéter. En effet, c'est elle.

— Oui, maman, le trajet s'est bien passé. Je suis à l'appartement.

— Ça va ?

— Bien sûr que ça va.

— Tu viens toujours souper et dormir à la maison ?

— Oui. Il me reste quelques petites choses à faire. Au fait, j'ai fait couper mes cheveux très court.

— Ah ? Ah bon.

Ce qu'il lui reste à faire, c'est appliquer des débarbouillettes froides sur ses yeux pour qu'ils désenflent. Elle ne peut pas arriver chez ses parents avec la tête de Démétan la grenouille.

Son nouvel aspect provoque des réactions d'un enthousiasme mesuré.

Sa mère :

— C'est différent…

Son père :

— Ça fait moderne…

Tous les deux :

— Ça te va très très bien !

Elle a eu raison de prendre ses précautions en l'annonçant : ils ne diront rien de plus.

Elle songe à Samuel qui s'est exclamé :

— Tu es drôle avec tes petits cheveux !

Et Julien a ajouté :

— Drôle mais jolie.

S'il a pensé que ce brutal changement d'apparence signifiait quelque chose, il ne l'a pas manifesté, pas plus que ses parents.

Michel a meilleure mine : il a perdu son teint plombé pour retrouver sa couleur de peau mate. Il a même les joues légèrement rosées.

— Je vais marcher tous les jours. Je me rends jusqu'au parc à chiens et je les observe. Sais-tu que nous allons en acheter un ? Je veux être sûr qu'il aura bon caractère.

Diane met son grain de sel :

— Il fait semblant d'hésiter, mais je suis certaine qu'il choisira un cocker anglais, comme Elfie.

Il sourit et Claire comprend que sa mère a raison. Demain, il a ce rendez-vous avec le chirurgien qui lui permettra d'en savoir davantage sur sa vie future. Diane a pris une journée de congé pour l'accompagner.

— Tu vas commencer les boîtes ? lui demande-t-il.

— Oui, demain matin. Je veux régler tout ça maintenant, que ce soit terminé. Ça me laissera l'esprit libre pour travailler.

— Diane, au lieu de venir avec moi alors que je n'ai pas besoin de toi, tu devrais plutôt aider Claire.

Diane proteste qu'elle peut consacrer une demi-journée à chacun. Claire s'apprête à la soutenir quand elle comprend au regard de son père qu'il préfère aller seul à son rendez-vous. L'anxiété de Diane est envahissante et s'ils demeurent un peu trop de temps dans la salle d'attente, ils seront tous les deux à cran en entrant dans le cabinet. Au risque d'avoir l'air d'une égoïste aux yeux de sa mère, elle prétend ne pas avoir le courage de s'y attaquer sans aide. Diane est un peu désarçonnée, mais Michel insiste et elle finit par accepter de consacrer toute la journée à sa fille à la condition expresse qu'après son rendez-vous il vienne les rejoindre pour leur faire un rapport circonstancié.

La perspective de l'épreuve du lendemain empêche Claire de dormir, et elle ressasse en boucle les révélations des dernières semaines. Elle a hâte que ce soit terminé et que cet appartement, dont la possession n'a plus de sens, passe à quelqu'un d'autre afin qu'elle puisse retrouver la paix de la berge du fleuve.

Sa mère est exactement la personne dont elle avait besoin pour l'aider : à la fois efficace et encombrante. Elle parle tellement qu'elle empêche Claire de penser. La radio à fond, des boîtes partout, des anecdotes à n'en plus finir sur la bibliothèque et, de temps à autre, une phrase grave sur la santé de son mari.

Dans la voiture, elle lui a dit :

— Vous étiez d'accord tous les deux, n'est-ce pas ? Il ne me voulait pas avec lui ?

Claire a posé la main sur son genou.

— Moi, je te veux.

D'autorité, Diane s'est chargée de la cuisine.

— Les chaudrons, ce n'est pas des souvenirs. Tu seras bien contente de ne pas racheter tout ça.

Claire cède, c'est plus simple. Au sujet du linge de maison, par contre, Diane ne proteste pas lorsque sa fille annonce qu'elles déposeront le tout chez Les petits frères des Pauvres. Le travail va bon train et il est déjà bien avancé quand Michel arrive en fin de matinée avec de bonnes nouvelles : s'il prend quelques précautions — activité professionnelle réduite, alimentation saine et exercice physique modéré —, tout ira bien. Diane rayonne. Ils vont tous les trois manger au restaurant asiatique le plus proche, puis Michel part se reposer et elles retournent à leurs boîtes. À la fin de la journée, tout est fini, liquidé en quelques heures. Diane a retenu les services d'un déménageur pour le lendemain matin. Il apportera tout dans leur garage. Si l'on excepte son bureau et ses deux bibliothèques, les seuls meubles que Claire garde, cela tient à peu de choses, surtout des boîtes de livres. Elle n'aurait pas laissé son bureau, déniché il y a des années chez un prétendu antiquaire qui était plutôt brocanteur. Peinturluré en noir et blanc, de l'avis général il était affreux, mais après des heures de décapage, quand le chêne massif était apparu, les commentaires avaient changé de ton. C'est à ce bureau qu'elle a rédigé ses travaux d'université et son premier journal de repérage. Tous les souvenirs qui s'y rattachent sont strictement personnels. Elle ne s'en séparera pas. Quant aux bibliothèques, ce sont de banales étagères qui lui serviront à ranger ses livres.

Le lendemain, lorsque tout est casé dans le garage, il lui vient un terrible besoin de s'en aller. Elle n'a pas envie d'attendre deux jours pour rencontrer l'étudiante. Si Maude était à Montréal, ce serait différent. Elles iraient prendre un café, magasiner, voir un film… Mais son amie assiste à un congrès dans les Laurentides et Claire n'a pas le courage de passer tout ce temps avec ses parents qui la couvent d'un regard inquiet. Diane devine son désir de partir et propose de se charger de la future locataire. Claire la serre fort dans ses bras.

— Sans toi, je ne sais pas ce que je ferais.

Avant le départ, elle consulte sa messagerie. Outre quelques pourriels, il y a un nouveau message de Marc, envoyé aussi à Jean-Louis et à Florence, comme le précédent. C'est encore un film, mais très court: deux minutes à peine. Une silhouette de dos, qui ressemble à Marc, entre dans le champ de la caméra et s'éloigne lentement jusqu'à disparaître. Rien de plus, pas un mot d'explication. Que veut-il signifier? Cela fait peur à Claire. La date prouve qu'il n'est pas récent. Elle téléphone chez lui: un message enregistré lui apprend que le numéro n'est plus attribué.

Même chose pour son cellulaire. Elle appelle l'ONG : il a donné sa démission. Même s'ils savent quelque chose, ils ne lui révéleront rien de plus. Dans un tiroir du bureau de son ancienne chambre, elle trouve les coordonnées des parents de Marc dans un vieil agenda. Sa mère le croit au Mali pour deux ans et n'a pas encore son adresse. Claire ne lui dit rien. À ses parents non plus, qui aiment bien Marc, car elle ne veut pas leur ajouter un souci. Avant de prendre la route, elle passe par le domicile de Marc. Le panneau d'un agent immobilier lui apprend que c'est vendu. Elle s'approche d'une fenêtre pour regarder à l'intérieur : tout est vide. À un voisin qui l'observe par-dessus la haie elle demande quand le déménagement a eu lieu. Trois semaines, ce qui correspond à peu près à l'envoi du message. Malgré son inquiétude et son désir de venir en aide à Marc, elle ne peut rien faire de plus : il a choisi de disparaître sans laisser de traces.

Cette route qu'elle a suivie il y a deux jours dans l'autre sens, elle la parcourt dans un état d'esprit bien différent. Elle redoutait la douleur à venir et avait peur de ne pas avoir assez de forces morales pour tenir le coup. Maintenant, c'est fini. Elle n'a plus rien à craindre. On ne peut plus rien lui prendre puisqu'elle n'a plus rien : plus de domicile, plus de meubles, plus de draps, plus d'amour. Comme Marc, finalement. Cependant, pour elle, au bout du chemin, il y a la maison avec la grande table face au fleuve, Elfie et sa joie de la retrouver, le projet de documentaire, auquel elle va désormais se consacrer entièrement, Maude, qui passera samedi avant d'aller rendre visite à sa grand-mère, Julien et Samuel, qui reviendront très bientôt. Elle espère que quelque chose ou quelqu'un accueillera aussi Marc quelque part.

Elle se sent vide. Vide et légère, légère et vide. Elle pense au film à réaliser : plus rien ne viendra interférer et elle aura ce plaisir de recréer un destin, d'imaginer une prise de vues, de l'effacer, de la recommencer pour, peut-être, finalement, la reprendre dans sa forme initiale. Elle n'est pas tout à fait morte en dedans; il lui reste cela, cette aptitude à vivre une autre existence par procuration, ce qui, quelques heures par jour, la distancera de la sienne.

— *Déjà!* s'exclame madame Bolduc à qui elle avait annoncé une plus longue absence.

Fatiguée, Claire se couche de bonne heure. Elfie se love contre elle, présence chaude et aimante.

Au réveil, comme tous les jours, elle bénéficie d'un bref état de grâce avant que tout ne lui revienne. D'ordinaire, elle remâche longuement sa douleur, mais aujourd'hui elle refuse de s'y complaire. Elle fait sortir la chienne, qui fonce vers l'érable aux écureuils, referme vite parce que désormais les matins sont frais, prépare une tasse de café, la pose sur son bureau. Après un regard sur le fleuve, dont les brumes se dissipent, elle réunit son matériel pour aller travailler dans la maison voisine. En versant le reste de café dans un thermos, elle songe à prolonger sa location: ici, elle est bien et c'est l'endroit idéal pour finir le documentaire. Ici, elle sera à l'abri pendant que le noir des arbres s'éclaircira jusqu'à reprendre une teinte d'un bleu léger et lumineux.

MARYSE ROUY

À l'origine de ce roman, il y a un vieux désir, né d'une promenade au bord du Saint-Laurent. Chemin faisant m'était venue l'envie d'écrire une histoire qui me permettrait, tout le temps de l'écriture, de vivre par la pensée sur cette rive. Des années plus tard, une amie m'a envoyé une carte postale montrant la silhouette d'une jeune femme devant une maison isolée surplombant le fleuve, et le désir a ressurgi. Le cadre du roman existait, il n'y manquait que le chien, qui est arrivé naturellement, comme s'il connaissait les lieux de toute éternité (mon mode de vie ne m'autorisant pas à en avoir un, je fais gambader des chiens littéraires dans la plupart de mes romans). Au cours des années, quand je retrouvais par hasard la carte postale dans mes papiers ou que le fleuve apparaissait dans un film ou un reportage, cette hantise me revenait, une histoire qui n'en était pas encore une se profilait puis s'estompait, mais je savais que je l'écrirais un jour. Il y aurait la berge du fleuve, une maison isolée, un chien qui court au bord de l'eau et une jeune femme seule.

FRANÇOIS FORTIN

Les pieds sur terre et la tête dans les étoiles.

Le début de sa carrière est placé sous le signe de la connaissance et de sa diffusion. Directeur éditorial visionnaire, il revisite la pensée encyclopédique. Il publie des ouvrages de référence et les nouvelles technologies lui permettent de concevoir l'image, le son ou l'architecture de l'information comme autant d'éléments au service du sens. Durant toutes ces années, il garde intact le rêve de revenir à la photographie à laquelle il s'est formé très jeune. Après ses expositions de photos sur l'Inde et la Patagonie, il prépare pour 2013 une série de portraits de chercheurs et médecins en neurologie, hommage à ces recherches qui s'appliquent à éclairer notre esprit.

www.francoisfortin.com

ACHEVÉ D'IMPRIMER EN SEPTEMBRE 2012
SUR DU PAPIER 100 % RECYCLÉ
SUR LES PRESSES DE MARQUIS IMPRIMEUR,
LOUISEVILLE, QUÉBEC.